Éclair(a)ges

MON ENFANT NE DORT PAS

Charlotte MAREAU

Sous la direction d'Annie Reithmann

SOMMAIRE

INTRODUCTION

Ce livre s'adresse aux parents qui cherchent des réponses simples aux questions qu'ils se posent sur les difficultés qu'ils rencontrent dans les moments d'endormissement ou le sommeil de leur enfant.
L'arrivée d'un enfant dans une existence bouleverse des repères, des habitudes, et ne manque pas d'apporter quelques inquiétudes au milieu de cette grande joie. Dans une société où on nous renvoie trop souvent l'image de l'enfant parfait, souriant et beau, et qui ne pleure jamais, il est parfois difficile d'évoquer les problèmes qu'on rencontre avec le sien. Les médias, ainsi qu'une certaine approche de la médecine et de la psychologie, ont eu également tendance à culpabiliser les parents, en les pointant comme seuls responsables des troubles de leur enfant.
La visée d'un tel ouvrage est de rétablir une compréhension plus claire, moins angoissante, des troubles du sommeil chez le nourrisson et l'enfant, et d'appréhender ceux-ci sous l'angle d'une rencontre. Les parents rencontrent leur enfant à la naissance de celui-ci. L'enfant rencontre ses parents, et ensemble ils vont chercher à s'adapter l'un à l'autre, à se connaître et à se reconnaître. Ses ajustements se font généralement sans heurts, un père et une mère, même lorsqu'il s'agit de leur première expérience, trouvant naturellement les gestes qui apaisent leur enfant en se mettant à sa place et en cherchant à deviner ces besoins.

Mais, quelquefois, ces gestes semblent ne pas suffire, l'enfant est en difficulté et le parent ne trouve plus le moyen de le calmer. Devant son incompétence, la mère ou le père peut avoir tendance à se dévaloriser. L'enfant lui renvoie l'image d'un mauvais parent incapable de prendre soin de lui. Une tension s'installe alors, une angoisse, qui risque d'aggraver la situation présente puisque l'enfant ressent cette fragilité chez l'adulte.

Ce livre vise donc à expliquer et à rassurer, pour éviter qu'à partir de petites difficultés du quotidien, de réels troubles ne s'installent. Il permet également aux parents de repérer des troubles plus importants, liés éventuellement à des causes physiques et nécessitant la consultation d'un médecin.

Parmi ces difficultés quotidiennes, ce sont les troubles du sommeil qui ont été retenus pour être abordés en détail dans ces pages. Les journées des parents s'organisent autour de la transmission de règles essentielles, se laver, manger, aller se coucher, et d'espaces de libertés et de jeux dès que ces règles sont suffisamment intégrées. Mais si un enfant dort mal, refuse systématiquement d'aller se coucher, ou présente de fréquents cauchemars qui l'éveillent, la situation peut rapidement devenir intenable.
Des plus légers problèmes aux situations plus inquiétantes, ce livre se présente donc un peu comme un guide de compréhension des principaux troubles du sommeil chez l'enfant, avec des explications, des illustrations des différents cas, et des propositions pour en faciliter la résolution.

Le sommeil de l'enfant tient une place fondamentale dans son développement. C'est en dormant que l'enfant intègre de nouvelles connaissances, acquises pendant la veille, et achève nuit après nuit la spécialisation de ses fonctions cérébrales.
Le sommeil joue aussi sur l'humeur, et un enfant dormant peu ou mal risquera de présenter une irritation, une agitation, ou au contraire un retrait et un désinvestissement qui rendront son quotidien difficile.
Ce rôle crucial du sommeil en fait souvent un enjeu pour les parents, surtout dans les premiers mois de la vie de l'enfant. Quand fera-t-il ses nuits ? Comment le calmer ? Pourquoi pleure-t-il ?

Plus tard, l'endormissement de l'enfant pourra être source de difficultés et d'oppositions, autour de la sieste ou de l'heure du coucher. Le quotidien peut alors être rapidement envahi par une lutte fatigante, et souvent vaine, avec un enfant qui ne veut pas aller au lit, ou qui souhaite dormir avec ses parents.
Les questions les plus courantes des parents portent alors sur la normalité de ces troubles, et sur les stratégies à adopter pour les résoudre. Comprendre ce qui se passe, pour ne pas laisser une situation s'installer ou empirer.
L'objet de cet ouvrage est donc double. D'abord fournir aux parents des définitions précises et des illustrations afin de savoir identifier un trouble du sommeil chez l'enfant. Ensuite proposer des solutions, décrire quelques attitudes à tenir, ou à éviter, et proposer des orientations vers des spécialistes.
Chaque enfant est unique, tout comme sa famille, et cette présentation ne constitue bien sûr qu'un guide général, qu'il faudra adapter et nuancer en fonction de la situation à laquelle il s'applique.

La prise en considération de l'enfant, et de la période de l'enfance en général, est très récente. La connaissance des capacités et des besoins de l'enfant et la reconnaissance de ses droits s'est faite progressivement, à mesure de l'avancée des connaissances psychiques et neurologiques, mais également de son statut dans la société.
Les regards posés sur l'enfant sont dépendants des cultures, et des variations historiques ou sociales. Considéré pendant des siècles comme un « petit adulte », sorte de modèle réduit de celui-ci, l'enfant a acquis au fil du temps une identité propre, avec une façon propre d'entrer en relation avec le monde et de communiquer ses émotions.
Le siècle qui vient de s'écouler fut porteur d'évolutions radicales du statut de l'enfant. Mieux protégé, enfin reconnu dans sa

fragilité et son besoin de soins spécifiques, il est aussi devenu l'enjeu des nouvelles constructions familiales et de la société de consommation.

Au début du XXe siècle, Freud décrivait l'enfance comme conditionnant toute l'existence de l'individu, parlait du fonctionnement psychique de l'enfant, et révélait la part des traumatismes infligés à celui-ci, comme les abus sexuels dont il dénonçait l'importance et l'impunité.

Aujourd'hui, des droits de l'enfant existent, qui ne sont pas toujours respectés partout, mais un autre phénomène coexiste dans nos sociétés occidentales : celui de l'enfant roi. Désiré, réclamé par ses parents qui font appel à la science s'ils ne parviennent pas à procréer, l'enfant est devenu l'objet d'enjeux qui le dépassent. Derrière l'enfant « gâté » de nos sociétés, ayant droit aux jouets, aux vêtements, aux ordinateurs ou aux téléphones portables dernier cri, se trouve souvent un être dépassé par les exigences qu'on place en lui.

S'adapter à une société fondée sur la réussite, régie par des modes aussi puissantes que changeantes, en étant porteur du désir de ses parents et de sa famille, peut conduire un enfant à des situations d'angoisse ou d'inhibition où l'expression de son individualité est rendue presque impossible.

L'enfant est une projection de l'humanité vers son avenir, et beaucoup d'actions sont conduites, bénéfiques ou nocives, pour exercer un contrôle sur ce devenir. Les débats toujours renouvelés concernant les modalités d'éducation, tant au sein de la famille que dans le système scolaire, en fournissent une illustration parmi d'autres.

L'objectif de cet ouvrage est aussi de nourrir un dialogue entre les parents et les psychologues, et de proposer des éléments clairs de compréhension des données psychologiques dans la relation parents – enfants.

Le psychologue a longtemps fait très peur aux parents, et cette peur n'est jamais tout à fait éteinte. Aller voir un psy est souvent associé au fait d'être « *fou* », et vécu comme une honte. Une présentation de cette profession est donc proposée, pour tâcher d'éclaircir ces rôles et ses missions, qui sont chaque fois variables en fonction du cadre dans lequel il intervient.

En psychologie de l'enfant, il s'agit bien sûr aussi de travailler avec la famille, un enfant étant indissociable de cette dernière. Il s'agit de comprendre les modalités du vivre ensemble. De comprendre ce qui se passe, quelles sont les inquiétudes, les attentes et les espoirs de chacun, pour mieux saisir la raison de l'apparition d'un trouble.

PARTIE 1

LE DÉVELOPPEMENT DE L'ENFANT

Un enfant vient au monde immature, non fini, et va construire sa personnalité au contact du monde qui l'entoure. De tous les êtres vivants, il est celui qui a le plus besoin d'un autre pour grandir et pour se développer. Il est donc dès sa naissance tout entier tourné vers ses parents, et attend de ceux-ci des réponses à ses besoins vitaux.
Au-delà de son développement physique et intellectuel, qui s'opérera progressivement en avançant en âge, un enfant va ainsi dès les premiers échanges et jusqu'à la fin de son adolescence élaborer sa personnalité au contact du monde extérieur. Celle-ci fera sa richesse, sa spécificité. Il sera unique, avec sa propre façon de percevoir le monde et ses propres réactions. Cette construction se fera lentement, régulièrement, à l'appui d'un double mouvement d'assimilation et de différenciation.

Ces deux temps sont mêlés, tout au long du développement, et se répondent constamment. D'un côté l'enfant assimile, c'est-à-dire qu'il intègre tous les éléments qui l'entourent, les règles de vie, l'ambiance du lieu où il se trouve, et les caractéristiques des individus qui lui sont proches. Et d'un autre côté il s'en différencie, c'est-à-dire qu'il refuse certaines choses, et qu'il manifeste des comportements nouveaux ou différents de ceux qu'on attendait de lui.
Le nouveau-né incorpore le monde extérieur dans un premier temps, l'intègre complètement à sa personnalité, pour mieux le maîtriser et le comprendre. Les personnes qui prennent soin de lui sont si importantes pour sa survie qu'il ne supporte pas la possibilité de les perdre. Ce tout premier mouvement correspond donc à ne former qu'un avec les aspects rassurants du monde extérieur, avec ce que Winnicott appelle « *la bonne mère* ». Plus tard, l'enfant comprendra que cette « *bonne mère* » (terme qui désigne en fait toute personne prenant soin de l'enfant) est la même que la « *mauvaise mère* » qui parfois ne répond pas

immédiatement à ses besoins. Il accédera alors à l'ambivalence, en acceptant qu'il puisse y avoir à la fois du bon et du mauvais en chacun.
A partir du moment où le monde extérieur est bien identifié par l'enfant comme distinct de lui, de sa propre personne, il va alors pouvoir développer certaines réactions vis-à-vis de ce monde, en l'acceptant ou en le refusant.
Plus l'enfant grandit, plus les conduites d'opposition pourront être importantes, car il aura acquis une plus grande autonomie, et il aura appris à anticiper les réactions de l'adulte.
Ces conduites d'oppositions sont variées et surprennent souvent les parents. Elles se manifestent par des refus, des colères, des comportements qui font parfois penser à des caprices ou même à de la manipulation.
Il est important de les comprendre et d'en détailler l'expression pour saisir si possible leur signification, et intervenir si elles sont trop envahissantes.

Un enfant qui s'oppose, c'est désagréable. Cela agace souvent l'adulte, cela l'indispose, et il a souvent l'impression que l'enfant « *le fait exprès* ». A partir d'un certain âge, il n'a d'ailleurs pas tort, certains comportements étant bien l'expression de la volonté.
Il ne faut toutefois pas perdre d'esprit que l'enfant a besoin d'un certain nombre de conduites d'opposition pour constituer sa personnalité. Comment se poser comme individu, différent de l'autre, sans marquer quelquefois son refus, son désaccord ?
La famille puis le milieu scolaire incarnent l'environnement essentiel de l'enfant pendant ses premières années. C'est un environnement fort, qui possède un savoir que lui, enfant, n'a pas. Il y a donc une situation asymétrique dès l'origine, dans laquelle le jeune enfant est censé tout recevoir d'autres personnes qui savent d'avance tout pour lui. Pour ne pas être un simple

réceptacle, celui-ci doit modifier la matière brute qu'il reçoit, l'interroger, la travailler, en faire une expérience singulière qui lui appartienne en propre.

Les troubles du sommeil chez l'enfant varient beaucoup dans leurs manifestations en fonction de l'avancée en âge de celui-ci et du développement de son autonomie. Quelques éléments de compréhension du développement du nourrisson et de l'enfant vont être ici présentés, afin d'offrir une introduction globale aux parents qui leur permettra de mieux situer une difficulté en fonction des compétences acquises ou non par l'enfant.

Il aura fallu des décennies pour qu'une compréhension et une formalisation du développement des compétences du nourrisson se fassent jour et permettent d'appréhender l'enfant comme un acteur au sein de son environnement.
A l'heure actuelle, ce domaine d'étude constitue l'un des champs d'investigation les plus prometteurs de la psychologie, où de nouvelles méthodologies produisent des découvertes inattendues et obligent à une reconsidération des informations jusqu'alors détenues.

1. Comment l'enfant développe-t-il son intelligence ?

L'intelligence des enfants a conduit à beaucoup d'écrits et de recherches au cours du siècle qui vient de s'achever. Comment le bébé intègre-t-il les éléments de son monde ? Comment apprend-il à agir sur celui-ci ? Comment l'intelligence de l'enfance, sa mémoire, son raisonnement, se développent-ils jusqu'à l'âge adulte ?
L'intelligence des enfants fascine beaucoup, y compris les parents, qui voient leur jeune enfant trouver tout seul la solution à une difficulté après avoir fait quelques tentatives. Un enfant a envie d'apprendre, il est en général toujours heureux de découvrir des choses nouvelles, mais le mettre en face de problèmes encore trop élevés pour son âge risque de l'attrister, puisqu'il se sent impuissant à les résoudre.
L'idéal serait que ce développement reste un jeu, qu'il s'agisse de progresser par étapes jusqu'à des niveaux plus compliqués. Mais la situation d'apprentissage demeure spécifique à chaque enfant et les parents le sentiront bien. Un enfant qui veut absolument faire ou apprendre quelque chose de plus difficile et qui s'entend répondre « *Quand tu seras plus grand* » risque de souffrir aussi de cette interdiction.

Il est important de garder à l'esprit qu'il n'existe pas une intelligence, mais des intelligences, et que ce n'est pas parce qu'un enfant a des difficultés dans un domaine qu'il en est ainsi pour tous les autres. Certains enfants auront du plaisir à écrire, à raconter des histoires, d'autres à résoudre des problèmes mathématiques. D'autres encore développeront dans leurs jeux une grande imagination, seront des « *bâtisseurs* » avec leurs jouets de construction, ou présenteront une grande maîtrise de leur corps.

On est très rarement doué en tout, et s'il faut bien sûr maintenir un niveau suffisant pour que les choses se déroulent bien à l'école, il ne faudra pas trop forcer un enfant dans les domaines qui lui déplaisent ou qui le confrontent à l'échec.

Nous vous proposons ici une présentation succincte de diverses théories expliquant les mécanismes du développement de l'enfant, afin de mieux saisir le fonctionnement de celui-ci.

La théorie piagétienne

C'est une théorie constructiviste qui postule que le réel se construit grâce à l'action. Piaget (Piaget, 1936, 1937) introduit la pensée du bébé comme objet de recherche, et, à travers sa description de l'intelligence sensori-motrice, pose l'existence de l'intelligence chez l'enfant avant que ne se manifeste la maîtrise langagière.

Piaget conçoit les mécanismes intellectuels dans le prolongement des mécanismes biologiques au sein de la relation individu-environnement. Il appelle équilibration l'adaptation réussie d'un individu à son environnement. Cette équilibration va dépendre de la synthèse de deux processus :
• l'assimilation : actions de l'organisme sur les objets qui l'entourent ;
• l'accommodation : actions du milieu extérieur sur l'organisme.

Dans la théorie piagétienne, le développement cognitif de l'enfant suit trois grandes périodes : l'intelligence sensori-motrice, les opérations concrètes et les opérations formelles.

■ La période l'intelligence sensori-motrice

Elle couvre les deux premières années de la vie de l'enfant, constituant une période préverbale subdivisée en six stades.

L'exercice réflexe (de 0 à 1 mois)

Ce stade est celui de la première manifestation de l'intelligence, et la source de tout son développement ultérieur. L'enfant opère une généralisation du réflexe par l'assimilation généralisatrice lui permettant d'exercer son action dans des conditions différentes et sur des objets différents.
Le réflexe de succion va ainsi, par exemple, être répété et adapté pour devenir efficace.

Trois processus sous-tendent son changement de statut :
• l'assimilation fonctionnelle : répétition du réflexe afin de le consolider et de le stabiliser ;
• l'assimilation généralisatrice : apparition de modifications au travers de la généralisation à différents objets ;
• l'assimilation recognitive : discrimination des objets qui sont plus ou moins appropriés à la succion.

L'enfant va être alors capable de construire des schèmes d'action, c'est-à-dire des séquences de gestes qui sont transposables, généralisables ou différenciables d'une situation à une autre pour appréhender et connaître le réel.

Les premières adaptations acquises et la réaction circulaire primaire (1 à 4 mois)

L'enfant est alors capable d'assimiler des schèmes nouveaux à ceux qu'il est en train de construire.
La réaction circulaire primaire constitue un exercice fonctionnel acquis, qui prolonge l'exercice réflexe, et a pour effet de fortifier

et d'entretenir un ensemble sensori-moteur dont les résultats nouveaux sont poursuivis pour eux-mêmes. Ces résultats ont un effet agréable et intéressant sur le corps propre de l'enfant qui va ainsi chercher à les reproduire.
A la fin de ce stade, on observe une coordination de différents schèmes entre eux : l'audition et la vision, la succion et la préhension, et la vision et la préhension.

Les réactions circulaires secondaires (de 4 à 8 ou 9 mois)

On assiste à une généralisation du stade précédent aux objets extérieurs à l'enfant. Il passe alors gestuellement de son corps propre au monde des choses, et, en manipulant des objets et découvrant par hasard de nouveaux résultats qui éveillent son intérêt, il suscite de nouvelles réactions circulaires secondaires.

L'intentionnalité et la coordination des schèmes secondaires (de 9 à 11 ou 12 mois)

C'est l'apparition des premiers actes véritablement intentionnels. Les actions sont orientées vers un but, avec la conscience d'un désir d'agir. A cette étape du développement, les schèmes secondaires se coordonnent entre eux pour s'intégrer dans des unités de comportements plus larges, organisées autour d'un but posé préalablement au déclenchement de l'action.
L'enfant acquiert de surcroît la capacité d'anticiper des événements liés à son action par l'intermédiaire d'indices à sa disposition.

La réaction circulaire tertiaire et la découverte de moyens nouveaux par expérimentation active (de 11 ou 12 à 18 mois)

C'est une période d'intense activité d'exploration de l'ensemble des propriétés des objets. L'enfant va faire varier ses mouvements pour obtenir de nouveaux résultats, il cherche intentionnellement et découvre, par tâtonnements autour des schèmes d'action qu'il possède déjà, de nouveaux moyens d'action.

L'invention de moyens nouveaux par combinaison mentale (de 1 à 24 mois)

C'est le début de l'exercice de l'intelligence sur un plan symbolique. L'enfant acquiert progressivement une capacité de représentation symbolique dans des domaines très variés, et il va intérioriser des schèmes d'action dont la combinaison mentale lui permettra de trouver des solutions plus rapidement.

La notion d'objet

Le développement de la notion d'objet est parallèle à celui de l'intelligence sensori-motrice.
De 0 à 4 mois : aucune conduite particulière n'est observée relativement aux objets disparus.
De 4 à 8 mois : l'enfant n'est pas capable de rechercher un objet caché mais il est en mesure de retrouver un objet qui est dans le prolongement direct de son activité.
De 8 à 12 mois : l'enfant recherche activement un objet disparu sans tenir compte de la succession des déplacements visibles.
De 12 à 18 mois : l'enfant devient capable de tenir compte de la succession des déplacements visibles dans sa recherche d'un objet.
De 18 à 24 mois : l'enfant est capable de se représenter les déplacements invisibles de l'objet.

Les conduites imitatives

Le développement des conduites imitatives permet le passage de l'intelligence sensori-motrice à l'intelligence représentative.

De 1 à 4 mois : imitation sporadique, le modèle ne peut être reproduit que s'il est assimilé aux mouvements que l'enfant vient d'effectuer.
De 4 à 8 mois : imitation systématique des sons connus et des mouvements effectués antérieurement de manière visible.
De 8 à 12 mois : l'enfant devient capable d'imiter des modèles invisibles (grimaces, clignements d'yeux...).
De 12 à 18 mois : l'enfant est capable de reproduire des modèles entièrement nouveaux et imite de manière plus précise.
De 18 à 24 mois : l'imitation va pouvoir être différée dans le temps. Elle est rendue possible par la représentation mentale, la construction de l'image du modèle et son intériorisation.

■ La période des opérations concrètes

Elle s'échelonne de 2 à 11 ou 12 ans et est marquée par une plus grande mobilité de la pensée, un plus grand recul par rapport à l'action, et une meilleure socialisation.
Elle se subdivise en deux périodes : la période préopératoire et la période opératoire.

La période préopératoire (de 2 à 6 ans)

Elle est essentiellement occupée par l'acquisition de la fonction symbolique (ou sémiotique), et tout particulièrement par l'acquisition du langage.
De 2 à 4 ans : prolifération de la fonction symbolique et des nouvelles capacités de représentation, au travers de l'imitation différée, du jeu symbolique, du langage et du dessin.
De 4 à 5 ou 6 ans : pensée intuitive globale et représentations fondées sur des configurations statiques et sur l'assimilation à l'action propre. L'enfant n'est pas encore capable de se décentrer, et d'adopter le point de vue de quelqu'un d'autre.

De 5 à 7 ou 8 ans : pensée intuitive et représentations articulées par régulation. Les décentrations commencent à s'opérer, ainsi qu'une régulation plus mobile des représentations qui s'articulent entre elles et tendent à se coordonner pour aboutir aux opérations mentales.

La période opératoire (de 7 à 11 ou 12 ans)

Elle est caractérisée par l'utilisation des opérations réversibles. Piaget décrit trois types de réversibilité : par inversion, par compensation et par identité. La construction des invariants permet le développement des schèmes de conservation et des structures opératoires.

La période des opérations formelles

Elle conduit l'enfant à une forme d'intelligence qui sera celle de l'adulte et qui est caractérisée par une pensée abstraite et combinatoire, un raisonnement hypothético-déductif et une démarche expérimentale.

L'approche développementale

A la suite de Piaget, de nombreuses recherches sont venues enrichir la connaissance du développement de l'intelligence chez l'enfant. Les travaux d'un certain nombre de ces chercheurs peuvent être rassemblés dans un courant qu'on a appelé celui de l'approche développementale.
L'évolution des connaissances sur le développement de l'enfant est étroitement liée à l'évolution des méthodologies. Suivant les conceptions théoriques des chercheurs et leurs présupposés sur la précocité d'apparition de certaines compétences, les techniques d'investigations peuvent différer de façon importante.

L'approche développementale la plus récente a mis en place des protocoles d'expérimentation aussi adaptés que possible aux aptitudes du nourrisson, en tenant compte de sa propre perception de l'environnement avant de lui proposer des tâches nouvelles.
Cette approche partant de l'enfant et non plus de l'adulte a permis de mettre en évidence des capacités insoupçonnées à un très jeune âge, et d'avancer tant dans la compréhension du développement sensori-moteur que dans celle du développement affectif et cognitif, jusqu'à l'émergence de la conscience de soi.

En se centrant sur les perceptions de l'enfant et sur ses compétences sociales précoces, de nombreux chercheurs ont pu mettre en évidence au sein de protocoles expérimentaux des aptitudes avancées chez des nouveau-nés.

A partir des écrits de Piaget, le développement de l'intelligence va être considéré essentiellement comme une maturation, au travers de la mise en place d'une série d'actions dans l'environnement immédiat de l'enfant. Le développement de l'enfant se réalise dès lors par stades, avec un accroissement graduel des connaissances et une intégration des acquisitions nouvelles aux précédentes.
Cette conception sera progressivement dépassée et combattue par différents courants, et rejetée autant par les chercheurs se réclamant d'un nativisme, postulant toutes les compétences innées, que par les tenants d'un empirisme considérant que le développement réside dans un apprentissage au contact de l'environnement.

L'intelligence du bébé n'a longtemps été considérée que sous l'angle de son intelligence sensori-motrice, au travers notamment des écrits de Piaget qui aborde les compétences du nourrisson en fonction de la maîtrise que celui-ci possède de ses compétences motrices. Mais l'immaturité de l'enfant à la naissance se trouve essentiellement motrice, et dès lors un important décalage existe entre l'appréhension de la précocité des aptitudes d'un bébé au travers de ses capacités perceptives et de ses capacités motrices.

Les résultats des recherches les plus récentes ont montré des compétences très précoces chez les nourrissons, non seulement dans leur capacité à agir sur le monde, mais aussi dans leur prise de conscience de leur individualité. La reconnaissance de soi et de l'autre, et le sentiment d'un partage émotionnel sont très tôt présents.
Un ensemble de recherches sur les perceptions sociales des enfants a utilisé des expérimentations visant à perturber la communication entre l'enfant et son environnement immédiat.

Des chercheurs ont ainsi étudié la régulation des émotions au travers des interactions entre des enfants de 2 mois et leurs mères, en perturbant de différentes façons le style de communication de la mère.
Les résultats issus de ces études attestent d'une sensibilité fine chez de très jeunes enfants (6 à 12 semaines) à la qualité affective immédiate du comportement maternel.
Il apparaît aujourd'hui que de très jeunes enfants détectent des variations subtiles dans le comportement de leur donneur de soins et sont bien davantage perturbés par les réactions insolites que par les séparations inévitables.

Pour ces auteurs, cette coordination étroite du comportement de la mère et de celui de l'enfant implique l'existence d'un cercle de communication émotionnelle.
La régulation des états personnels et affectifs n'est donc pas un

processus linéaire, au sein duquel le comportement de la mère déterminerait celui de l'enfant. Chacune des réponses de l'enfant est identifiée par la mère comme une réponse active et significative, et provoque en elle des réactions en miroir conséquentes.

Il est possible de distinguer deux grandes étapes dans la reconnaissance de l'intentionnalité des personnes.

■ Vers 2 mois

L'enfant perçoit le fait que sa mère n'est pas « en phase » avec lui et il s'en inquiète. Il détecte donc finement un comportement inhabituel ou inadapté.

■ Vers 6 mois

Le bébé attend de toute personne une communication pertinente, même si cette personne est inconnue de lui.

C'est la **théorie de l'esprit**, dont les termes furent consacrés par Premack et Woodruff (Premack & Woodruff, 1978), qui désigne l'aptitude à inférer que des conduites sont induites par des états mentaux.
L'acquisition de cette théorie de l'esprit par l'enfant signifie qu'il peut créer des prédictions et développer une empathie suffisantes pour lui permettre de se mettre à la place de l'autre, et pour ainsi dire « dans la tête de l'autre ». L'enfant se décentre alors de son propre esprit pour s'intéresser à celui d'autrui.»
Les parents constituent le premier et le principal support du développement de leur enfant. En adaptant leurs actions à ses besoins, ils lui permettent d'accroître ses découvertes et son sentiment de maîtrise sur le monde. Il gagne en assurance, et en autonomie, parce qu'il sait qu'il est soutenu par son environnement.

L'importance de l'étayage parental dans le développement de l'enfant

L'étayage est un terme utilisé en psychanalyse pour indiquer que le sujet s'appuie sur un objet. Dans le cas de l'enfant, cet objet est souvent la mère, ou tout membre de l'entourage proche qui va l'aider à poursuivre son développement. S'étayer sur quelqu'un signifie que cet autre est indispensable et que c'est par son support qu'une progression est possible.
Les interventions parentales sont amenées à jouer un rôle décisif dans la façon dont un nouveau-né investira progressivement les objets du monde extérieur. Leur degré d'ajustement à l'enfant apparaît notamment revêtir une grande importance dans le développement des compétences précoces.

Le terme d'ajustement, qui correspond à une traduction du terme anglo-saxon « *responsiveness* », se réfère à une séquence de trois événements : une demande de l'enfant, une réponse du parent, et son effet sur l'enfant.

Pour qu'un comportement parental soit ainsi considéré comme ajusté, trois conditions sont en général requises.
- Le parent modifie son activité en fonction de la demande du bébé.
- Cette modification est adéquate à la demande du bébé.
- La même réponse est donnée régulièrement à des demandes identiques.

Cette régularité des réponses est cruciale pour rendre compte du mécanisme par lequel l'ajustement parental joue un rôle positif dans le développement de l'enfant.
En développant des attentes concernant les réponses à ses propres comportements, le bébé apprend qu'il a quelque pouvoir sur l'environnement, et qu'il peut prévoir ce que vont

faire les personnes familières. Inversement, l'absence de régularité quant aux issues de ses propres comportements mène à la démission.

L'ajustement parental amène ainsi à agir, à tenter des activités nouvelles, et donc à construire de nouveaux schèmes d'action, ce qui est le propre du développement cognitif. Dans un monde prédictible les échecs, devenus rares, peuvent devenir des problèmes à résoudre, et non des preuves supplémentaires d'inefficacité.
Le rôle du tempérament de l'enfant dans cette aptitude au développement est certain, mais des travaux récents le conçoivent comme un mode d'interaction avec l'environnement, et dont les manifestations sont capables de modulations en fonction des issues de ces interactions. Ce sont les modalités d'interaction qui apparaissent alors avoir la plus grande influence sur le rythme et la qualité des acquisitions du jeune enfant.

L'intervention parentale est une stimulation, dans la mesure où elle pousse l'enfant à faire davantage qu'il ne ferait seul. Mais pour parvenir à faire progresser l'enfant, cette stimulation doit se situer à un niveau d'exigence cohérent avec ses capacités.
Le concept de Vygotsky de « *zone proximale de développement* » est donc ici sollicité à plus d'un titre. En s'adaptant aux besoins et aux capacités de l'enfant, son partenaire jouera le rôle d'un médiateur efficace entre celui-ci et les objets du monde. Cette zone proximale de développement peut être plus ou moins étendue, et variera en fonction des individus engagés auprès du nourrisson.

Ainsi les frères et sœurs plus âgés, ou les pairs à la crèche, pourtant moins susceptibles que les parents de s'adapter aux capacités du bébé, suscitent également des progrès de sa part. L'exten-

sion de la zone proximale de développement apparaîtrait dès lors dépendre de deux partenaires, davantage que d'un bébé en particulier.
C'est ainsi grâce aux étayages, essentiellement parentaux mais provenant également d'autres supports, que l'enfant progresse pour passer petit à petit à des niveaux de développement plus avancés. On peut en ce sens parler de développement partagé.
Des études démontrant les grandes capacités d'ajustement émotionnel d'enfants âgés de 2 mois insistent sur la sensibilité des jeunes enfants aux soins parentaux, et tout particulièrement à la qualité affective de ceux-ci. Une défaillance du donneur de soin possède dès lors à son sens un caractère potentiellement nocif.

La conscience de soi

La notion de l'existence d'une conscience autonome, conçue comme indépendante du social, a été entretenue par certaines théories du développement psychique. Celles-ci conçoivent l'enfant comme placé à sa naissance dans un état où il ne peut se différencier de sa mère, et à partir duquel une conscience individuelle se détacherait progressivement.
Il semble qu'à l'opposé d'une conscience de soi séparée des choses qui l'entourent, l'enfant développe avant tout une co-conscience de soi en relation avec autrui.
Le bébé développerait une subjectivité partagée avec autrui, manifestant une capacité d'adaptation à un monde qui est en grande partie irrationnel : le monde imaginaire des regards d'autrui portés sur soi.

Les recherches récentes montrent que dès les premières minutes de vie extra-utérine, le nourrisson manifeste un sens de son corps comme entité différenciée parmi d'autres objets de l'environnement.

Dès la naissance

Le bébé manifeste ainsi par exemple dès la naissance une discrimination fine entre une stimulation dont l'origine est extérieure au corps et une stimulation qui provient de son propre corps. C'est-à-dire qu'il montre immédiatement des réactions différentes si sa mère lui touche le bras ou si on le fait se toucher lui-même le bras avec sa main opposée.

Vers 6 semaines

Aux alentours de 6 semaines, au travers de l'apparition du sourire social, l'enfant débute sa vie relationnelle par le biais d'expériences explicitement partagées avec autrui. C'est le moment où le bébé affirme dans son comportement sa présence au monde avec autrui.
Il s'agit alors du début de la co-conscience, et donc de la véritable naissance du bébé en tant que personne, qui ne peut se constituer et se développer que dans l'échange social et la réciprocité affective. Son attitude devient alors contemplative et réciproque.

Avec son entrée dans la réciprocité émotionnelle, l'enfant va être aspiré dans le miroir social, phénomène de résonance émotionnelle de l'adulte envers le nourrisson. Cette réciprocité sera promue par les jeux de miroirs sociaux de l'adulte.
Dans ce contexte se développeront l'anticipation et la représentation de l'autre en référence à soi et ses propres activités sur les choses.

Vers 9 mois

Puis une nouvelle évolution apparaîtra vers 9 mois, avec le développement de la locomotion, l'enfant vivant un profond dilemme entre son besoin de proximité et son désir d'exploration. La solution sera trouvée en intégrant l'autre à sa quête des objets, et l'enfant deviendra attentif d'une façon conjointe avec autrui.

■ Après 1 an

Enfin, un autre fait très marquant des progrès de la co-conscience est l'apparition des comportements d'embarras. C'est vers 14 mois que l'embarras social commence à se manifester d'une façon prévisible et très marquée, dans le contexte d'une attention prolongée d'autrui sur soi, et dans le contexte d'une performance ou d'une présentation de soi pouvant être évaluée par l'autre.

Le Soi, ou le Moi en ébauche, du nourrisson apparaît donc plus fort et plus développé qu'il ne l'a été longtemps supposé. Dès les premières semaines de sa vie, l'enfant se montre capable de distinguer son corps de celui de l'autre, son action de celle de l'autre, et dès lors de se comporter en fonction d'interprétations d'autant plus avancées que grandissent ses capacités d'empathie.

2. Qu'est-ce que l'attachement ?

On a beaucoup parlé d'attachement entre un enfant et ses parents. Que signifie ce terme, au-delà de la notion affective qui s'en dégage spontanément ? Etre attaché à ses parents, même lorsqu'on est un nourrisson, ne signifie pas qu'on ne s'en distingue pas, ou qu'on est entièrement dépendant de leur comportement. L'attachement désigne l'élection par l'enfant de figures privilégiées dans son environnement, par excellence ses parents, mais aussi à un niveau moins grand d'autres personnages, comme un frère ou une sœur, ou une nourrice si elle est régulièrement présente.
Il s'agit donc d'un sentiment et d'un comportement que l'enfant va manifester envers certaines personnes spécifiquement, et cet attachement pourra se traduire aussi bien par des marques de tendresse et de joie que par de violentes colères si la figure d'attachement s'éloigne ou n'agit pas comme il l'aurait voulu.

John Bowlby (1969) a développé les recherches sur l'attachement en postulant que le lien de l'enfant à sa mère était le produit de l'activité d'un certain nombre de systèmes comportementaux, qui avaient pour résultat la proximité de l'enfant par rapport à sa mère.
La définition du comportement d'attachement a donc été élaborée comme suit : « *Rechercher et maintenir la proximité avec un autre individu.* »

Sur la question de l'inné et de l'acquis, Bowlby remarque que même si une grande partie des variations de comportements chez des enfants différents est imputable à des différences génétiques, à mesure que la place et le poids de l'environnement s'accroissent celui-ci étend une influence de plus en plus conséquente sur les modalités de l'attachement.

Au sein de ces modalités de l'attachement, cet auteur distingue deux formes principales de comportements :

- les comportements de signal : tels les pleurs, sourires ou babils, dont l'effet est d'amener la mère à l'enfant ;
- les comportements d'approche : tels la recherche, la tentative de suivre ou l'agrippement, dont l'effet est d'amener l'enfant à la mère.

L'ensemble des comportements d'attachement ont pour but de maintenir l'enfant dans un espace sécurisé, où il sent ses parents disponibles, et devient dès lors progressivement capable de s'en distancer, voire de s'en séparer durant des périodes plus ou moins longues.

Bowlby décrit ainsi de jeunes enfants de 1 ou 2 ans placés dans une situation familière qui se montrent parfaitement capables de jouer et d'explorer de façon autonome en gardant simplement leur mère comme base lorsqu'elle est stationnaire (par exemple assise sur un banc près du bac à sable).
La mère jouerait alors pour la majorité des enfants un rôle de point de repère permettant de contrôler de loin en loin que tout va bien.
Pourtant, si la plupart des enfants se montrent capables de manifester cette indépendance précoce, quelques-uns apparaissent moins en sécurité, et pleurent ou appellent lorsque l'attention de leur mère n'est plus expressément tournée vers eux.
Bowlby cite un exemple de ce type issu des observations de Appell et David (1965) illustrant bien ce cas de figure un peu particulier : « *Bob regarde beaucoup sa mère... Il a besoin qu'on le regarde et ne supporte pas que sa mère soit trop absorbée par son travail... Il devient alors grincheux et frustré, comme lorsque sa mère s'en va...* »
Les modalités de l'attachement existant entre la mère et l'enfant semblent ici différer de celles le plus couramment observées, et

Bowlby va décrire tout un panel de réponses de l'enfant à la séparation venant encore enrichir l'aperçu de ces spécificités.

L'auteur explique combien le comportement d'attachement de l'enfant au moment du départ de sa mère va être influencé par l'avancée en âge de l'enfant, déterminant sa plus ou moins grande immaturité, ainsi que par les modalités du comportement maternel (départ visible et brutal, ou au contraire discret et progressif).
Le comportement le plus courant après 12 mois serait constitué d'un ensemble d'appels et de protestations lors du départ de la mère, puis d'une bonne capacité à jouer seul en son absence.

L'étude des modalités du retour de la mère, principalement sur le plan de la durée de l'absence et de l'état émotionnel de celle-ci, permet également de connaître leurs répercussions sur le comportement d'attachement de l'enfant.
Dans la plupart des cas et si l'absence n'a pas été trop longue, l'enfant recherchera spontanément le contact de sa mère, lui sourira parfois, et s'apaisera s'il pleurait.
Une plus grande anxiété pourra entraîner la mobilisation d'un comportement d'agrippement par l'enfant, qui mettra davantage de temps à se rassurer, et lors des grandes détresses, on pourra observer un phénomène de repli, l'enfant refusant le contact avec sa mère à son retour.

A un même âge et dans des situations similaires, de jeunes enfants ne présentent pas nécessairement les mêmes comportements d'attachement. Certains se montrent très rapidement autonomes, aisément rassurés et disponibles à la nouveauté, tandis qu'une autre catégorie d'enfants développera un plus grand sentiment d'insécurité, inhibant l'action et la relation.

Mary Ainsworth (1979) a développé la notion d'un attachement « *secure* », ou assuré, caractérisant une forme d'attachement mère-enfant élaborée au cours des premiers mois de la vie, et qui représenterait ce pôle de sécurité et de relative indépendance dans les relations mère-enfant.
En plaçant un enfant âgé de 18 mois dans une « *situation étrange* », au cours de laquelle il fut mis en présence d'une personne étrangère dans un lieu inconnu, il lui a été possible de caractériser les modalités d'interaction mobilisées par le départ puis le retour de la mère.

Mary Ainsworth a ainsi démontré la place fondamentale des modalités de l'attachement mère-enfant dans les premières années pour le développement ultérieur et les relations au monde.
Cette sécurité et cette autonomie, ce sentiment que l'enfant développe progressivement ses propres compétences et sa valeur, proviendraient de l'attachement « *secure* » réalisé par cet enfant auprès de sa mère dès les premiers échanges.

L'importance des relations interpersonnelles dans la petite enfance est presque unanimement soulignée par les chercheurs, avec le constat que des relations parents-enfants sécurisantes et harmonieuses apportent un degré de protection contre un risque environnemental ultérieur.
Même si la mère semble jouer un rôle déterminant dans la constitution de l'attachement, Mary Ainsworth rappelle que le rôle de figures d'attachement autres que la mère n'est pas négligeable pour autant.

D'autres figures d'attachement que celle de la mère ou des parents doivent donc jouer un rôle très conséquent, puisqu'elles permettent à un enfant très jeune de développer malgré tout une

autonomie, un sentiment de sécurité et d'individuation à même de promouvoir le développement de sa personnalité.
Il existe toute une littérature abordant ainsi l'importance du rôle du père comme figure d'attachement associée à celle de la mère, les recherches insistant le plus souvent sur l'agent de différenciation incarné par un père « *suffisamment présent* » sur le plan symbolique.
Des études menées en pouponnière rappellent également l'importance d'un « *substitut maternel satisfaisant* » lorsque l'enfant est placé en situation de perte de ses figures d'attachement.

En fonction de ces modalités et dès un âge très précoce, un enfant va ainsi pouvoir manifester son attachement à des frères et sœurs, des apparentés, des voisins ou des travailleurs sociaux, en somme toute personne suffisamment présente (même au seul niveau symbolique) pour permettre des investissements, dès lors que la mère leur laisse une possibilité d'existence.

Bowlby distingue ainsi les figures d'attachement principales des figures auxiliaires, et insiste sur le fait que la figure d'attachement principale n'est pas toujours la mère.
L'investissement variable réalisé par l'enfant auprès de ces figures le conduit également à rappeler que « *même si à 12 mois une pluralité de figures d'attachement est probablement de règle, ces figures d'attachement ne seront pas traitées comme équivalentes les unes des autres* ».

Une figure d'attachement principale est celle vers laquelle l'enfant va se tourner quand il est fatigué, lorsqu'il a faim, lorsqu'il est malade ou alarmé, et dont la proximité va être à même de le réconforter.
Les figures auxiliaires pourront semble-t-il être investies dès lors qu'un sentiment de sécurité suffisant émane de la présence et de la disponibilité de la figure d'attachement principale.

PARTIE II

LE SOMMEIL DE L'ENFANT

Le sommeil est un processus physiologique au cours duquel les fonctions de la vie relationnelle sont très réduites et les fonctions de la vie végétatives ralenties. Il s'agit d'un processus d'inhibition actif, coordonné, dans lequel l'être humain entre spontanément par l'endormissement, et dont il sort spontanément par le réveil.
Le sommeil comprend donc trois temps : l'endormissement, le sommeil proprement dit et le réveil. Le sommeil et la veille, qui apparaissent comme des états opposés, sont en fait indissociables, et l'étude de la personne éveillée permet de découvrir certaines causes des troubles du sommeil.
Le sommeil n'est pas universel. Chez les animaux inférieurs, on constate de simples phases d'inertie, mais chez les mammifères, dont l'homme fait partie, le sommeil est une véritable nécessité. On ne peut le supprimer sous peine de mort : un animal empêché de dormir mourra ainsi plus vite qu'un animal empêché de se nourrir.
On voit donc l'importance de ce sommeil vital, qui occupe plus d'un tiers de nos existences, et auquel l'enfant va devoir accepter de s'abandonner pour construire son corps et développer ses fonctions cérébrales.

Si le sommeil est indispensable à tous, tout le monde n'a pas pour autant le même sommeil. Beaucoup de variations individuelles sont normales et ne doivent susciter d'inquiétudes que si elles entravent la vie quotidienne.
Chaque être humain a sa façon de dormir, il y a les petits et les grands dormeurs, ceux dont le sommeil est plus profond et ceux dont le sommeil est léger. On distingue des phases de « *sommeil calme* » et des phases de « *sommeil agité* » dont la proportion évolue.
Au cours de la vie, le sommeil subit d'importantes modifications, les plus grandes évolutions se situant dans l'enfance. Chez le

nouveau-né, sommeil calme et sommeil agité se répartissent à peu près également, puis le temps de sommeil agité diminue progressivement.

1. Comment fonctionne le sommeil du nourrisson ?

Le sommeil à la naissance est très différent de ce qu'il sera chez l'adulte, et même de ce qu'il deviendra rapidement chez l'enfant plus âgé. Le nourrisson a besoin de davantage de sommeil, mais ses réveils sont souvent fréquents, et rythmés par ses besoins physiologiques, comme celui de se nourrir régulièrement. Les descriptions suivantes permettent aux parents de mieux se représenter le fonctionnement du sommeil dans les premiers mois et les toutes premières années de la vie.

Physiologie de l'endormissement

L'endormissement est la phase qui s'étend du moment où l'enfant est prêt pour le sommeil jusqu'au moment où il s'endort. Pendant tout l'endormissement, se produisent des alternances de sommeil léger et plus profond.

Dans les trois premiers mois

L'endormissement est généralement aisé. L'enfant passe sans difficulté d'un état de veille encore peu précis à un sommeil peu profond. L'endormissement à cet âge est essentiellement lié à la satiété, c'est-à-dire au soulagement de la tension crée par la sensation de faim.
Ce soulagement entraîne une satisfaction totale, absolue, liée au plaisir de la succion, à la sensation d'avoir l'estomac plein, à l'odeur et la chaleur de la mère, et la sensation rassurante qui en découle.
La valeur du repas est donc primordiale dans les premiers mois, et celui qui l'administre, père ou mère, joue un rôle très important pour en faire un moment de confiance et de plaisir.

De 3 à 9 mois

L'endormissement est parfois plus difficile. La veille est plus précise, le sommeil plus profond, ainsi le passage d'un état à un autre pourra être plus long. La sensation de satisfaction n'est plus si fortement liée à l'alimentation, mais se complexifie, Les facteurs affectifs vont prendre une place déterminante, qui ne fera que s'accroître avec l'avancée en âge.

De 9 mois à 3 ans

L'endormissement est plus long et plus difficile. Alors que l'adulte met en moyenne dix à quinze minutes à s'endormir, l'enfant, entre 1 et 3 ans, a besoin de vingt à soixante minutes pour trouver le sommeil.
Cela s'explique notamment par la lenteur de la réduction de la motricité et du relâchement musculaire. Les satisfactions sont à présent beaucoup plus complexes et liées en partie aux satisfactions motrices au moment de l'acquisition de la marche et aux satisfactions intellectuelles au cours de l'acquisition du langage. Les satisfactions affectives tiennent une place prépondérante et toujours plus complexe. A cet âge l'enfant atteint des stades élevés dans l'intégration de sa personnalité et ses liens à ses figures d'attachement (mère, père ou tout autre adulte donneur de soins) se modifient et deviennent plus nettement ambivalents.

Physiologie du sommeil

La maturation du système nerveux central modifie à la fois les formes du sommeil, de l'endormissement et de l'éveil.
L'électroencéphalogramme qui permet d'étudier le fonctionnement du cerveau par enregistrement des signaux électriques montre trois étapes de maturation chez le nourrisson : à 3 mois, à 5 mois, puis entre 3 et 4 ans.

A savoir : Chez le prématuré, la première étape interviendrait à 8 mois.

Chez le nourrisson de 3 mois à 3 ans, les enregistrements du sommeil montrent d'importantes transformations qui portent sur l'endormissement, le sommeil léger et le sommeil profond. En même temps que s'opère cette maturation, on observe une organisation du sommeil, sous une forme cyclique qui sera celle de l'adulte.

Jusqu'à 6 mois

Chez le nouveau-né, il existe déjà une première forme d'organisation cyclique du sommeil, chaque cycle comprenant une période de sommeil agité et une période de sommeil calme. La durée d'un cycle est de trente à cinquante minutes, et chaque cycle est composé d'environ vingt minutes de sommeil calme (variable de dix à vingt-cinq minutes) et d'une période très variable de sommeil agité.
Dans les périodes de transitions entre ces deux états, il est parfois difficile de distinguer la veille du sommeil agité. En effet le nouveau-né peut remuer, faire entendre quelques pleurs, tout en étant toujours endormi.
Contrairement à l'adulte, le nouveau-né commence le plus souvent par une période de sommeil agité, qui sera plus ou moins longue, puis passe à un sommeil calme.

De 6 mois à 1 an

Chez le nourrisson avant 1 an, la durée du cycle du sommeil augmente de cinq à quinze minutes. Le temps passé dans le sommeil agité se réduit légèrement et le temps de sommeil calme augmente.

Chez le nourrisson âgé de 1 an, la durée totale d'un cycle varie de cinquante-cinq à soixante-quinze minutes et les périodes de sommeil calme atteignent cinquante minutes. L'enfant s'endort immédiatement en sommeil calme et ne passe plus d'abord par une phase de sommeil agité, comme chez le nouveau-né.
A la manière de l'adulte, les phases de sommeil agité deviennent plus longues dans la deuxième moitié de la nuit. Le pourcentage du temps passé dans le sommeil agité, qui était de 45 à 55 % chez le nouveau-né, n'est plus que de 30 % de 6 mois à 1 an.

■ De 1 à 3 ans

Après 1 an, Le sommeil nocturne de l'enfant ressemble de plus en plus à celui de l'adulte. En une nuit, on observe ainsi une succession de cinq à six cycles, comprenant chacun une phase de sommeil calme et une phase de sommeil agité. Chaque cycle dure quatre-vingt-dix minutes environ.
Au fur et à mesure de la nuit, la durée de chaque période de sommeil agité s'allonge mais leur durée totale ne dépasse pas 25 % du temps complet du sommeil.

Physiologie du réveil

Dans l'ensemble, le réveil est plus net et plus rapide que l'endormissement.

■ Jusqu'au troisième mois

Jusqu'au troisième mois, le réveil est provoqué avant tout par la sensation de faim. De ce fait, il est brusque, rapide. L'enfant se met à crier pour réclamer son repas, puisqu'à cet âge c'est la façon dont il exprime son inconfort. S'il a froid, ou trop chaud, s'il est dans une mauvaise position, ces sensations désagréables pourront également entraîner un réveil et des signaux d'appel.

■ De 3 à 9 mois

De 3 à 9 mois, le réveil se détache progressivement de la faim, et devient lié à des phénomènes de plus en plus complexes. Parmi ceux-ci, le désir d'échanges affectifs prend une place grandissante ainsi que le désir d'activité motrice.

■ De 9 mois à 3 ans

De 9 mois à 3 ans, le réveil spontané est lié à une multitude de facteurs, à la fois psychiques et corporels.
Sur le plan psychique, interviennent l'habitude d'une certaine heure de réveil, le désir d'être actif, de faire de nouvelles découvertes, et le désir de profiter des échanges affectifs. D'une façon générale, les enfants les plus actifs auront des réveils rapides et les enfants plus calmes auront des réveils lents, parfois difficiles.
Sur le plan corporel, et d'une manière qui sous-tend tous ces processus psychiques, le réveil est lié entre autres à une modification du tonus musculaire, à une sensation d'inconfort, à une remontée de la température corporelle, ou encore à une modification de la perception sensorielle.

2. Comment fonctionne le sommeil de l'enfant ?

Le sommeil est un moment crucial pour le développement de l'enfant, durant lequel celui-ci va achever de spécialiser l'organisation de son système nerveux central. Le sommeil va lui-même beaucoup évoluer durant les premières années de la vie. Dans l'enfance, des cycles s'organisent et se différencient bien, qui ressembleront de plus en plus à ceux du sommeil de l'adulte.

Il existe plusieurs états du sommeil : le sommeil agité (SA), généralement suivi du sommeil paradoxal (SP), qui est celui de l'activité onirique, c'est-à-dire les temps des rêves, caractérisé par des mouvements oculaires rapides sous les paupières. Le sommeil lent léger (SLL) correspond aux stades 1 et 2 du sommeil, et caractérise souvent le début d'endormissement, tandis que le sommeil lent profond (SLP), correspondant aux stades 3 et 4, s'installera généralement après un temps plus long.

Cycles des périodes de sommeil selon les âges

Le sommeil s'organise en cycles, dont la durée et les caractéristiques vont varier au fil de l'avancée en âge de l'enfant.

■ De 0 à 2 mois

Cycle de cinquante minutes. L'enfant s'endort en sommeil non calme, puis sommeil calme, puis reprise.

■ De 2 à 8 ou 9 mois

Cycle de soixante-dix minutes. L'enfant s'endort en sommeil paradoxal (quelques minutes), puis sommeil lent, et sommeil lent profond.

De 9 mois à 5 ans

Cycle de quatre-vingts minutes. L'enfant s'endort en sommeil lent, puis sommeil lent profond, puis sommeil paradoxal.

A partir de 5 ans

Cycle adulte de durée plus courte.

QUANTITÉ GLOBALE DE SOMMEIL

La quantité globale de sommeil va baisser progressivement entre 6 mois et 4 ans, pour atteindre douze heures de sommeil par cycle de vingt-quatre heures. Ces douze heures demeureront assez stables entre 3 et 5 ans, puis de 5 à 12 ans, la durée totale de sommeil deviendra progressivement inférieure à douze heures. Même après ses 12 ans, un enfant aura toujours besoins d'une dizaine d'heures de sommeil pour se reposer et continuer à se construire.

Les siestes

Les siestes sont indispensables à l'enfant. Il est donc important de les respecter et de garder leur cohérence. Elles occupent 50 % du temps diurne à la naissance, 25 % à 6 mois, et restent environ à deux heures par jour jusqu'à 18 mois.

Il faut donc compter trois à quatre siestes journalières vers 6 mois, puis deux siestes vers 12 mois, pour en conserver une à 18 mois, qui restera longtemps nécessaire à l'équilibre de l'enfant. En maternelle, de 3 à 6 ans, les enfants sont couchés après le déjeuner pour qu'ils fassent une sieste. Ce « *rituel* » restera donc très présent jusqu'à l'entrée à l'école primaire. Certains enfants refuseront de dormir et s'opposeront au statut de « *bébé* » que leur confère cette obligation de dormir durant la journée.

Il faut parvenir à leur faire comprendre que c'est encore nécessaire, et que même les adultes font parfois des siestes quand ils sont fatigués. Avec un temps de repos au milieu de la journée, l'enfant sera plus attentif et éveillé durant l'après-midi et la soirée, il prendra plus de plaisir à jouer et ne s'énervera pas à la moindre frustration.

Importance de la ritualité

Il est important que ce sommeil obéisse à une ritualité, avec des heures fixes de coucher, surtout les veilles d'école, car les cycles vont se caler sur les rythmes que l'enfant construira avec votre aide. Il s'endormira donc plus facilement à 21 heures, ou à 22 heures, s'il a l'habitude de se coucher chaque soir à cette heure-là. Le sommeil pris avant minuit est souvent plus réparateur, et dormir un temps long permet de laisser chaque cycle se dérouler entièrement et se résoudre.

Bien sûr cela ne signifie pas qu'il faut forcer son enfant à se coucher tous les soirs très tôt, même les week-ends et les soirs de fête. Mais il ne doit pas non plus se coucher aussi tard que les adultes, et il faudra tenir compte du décalage induit le lendemain pour l'aider à retrouver rapidement son rythme (en lui faisant faire une sieste si la nuit a été trop courte par exemple).

3. Quand faut-il s'inquiéter ?

Le normal et l'anormal

Il pleure, il dort mal... Est-ce normal ?
Les parents, surtout lorsqu'il s'agit d'un premier enfant, sont souvent très inquiets des pleurs et des difficultés de celui-ci à s'endormir et se demandent s'il a mal ou s'il est malade. L'image véhiculée par les médias, du bébé lisse et parfait, ainsi que la culpabilité des autres parents qui hésitent à évoquer leurs problèmes avec leur enfant, font que les jeunes parents ont parfois des difficultés à évaluer la situation avec objectivité.
C'est comme si un enfant qui va mal, qui hurle, qui ne dort pas, n'existait pas. La société n'en renvoie presque aucune image. Ou alors, il devient « *anormal* », et cette conception culpabilise d'autant plus les parents.
Il est donc sans doute bon de rappeler une vérité élémentaire : un enfant pleure, c'est normal ! Jusqu'à un certain âge, c'est son mode privilégié d'expression, la façon dont il communique ses besoins à ceux qui prennent soin de lui. Il faut donc parvenir à faire la part des choses et à distinguer des pleurs passagers, qui ont souvent une fonction précise (appel, colère, recherche du sommeil...), des pleurs qui signent une plus grande souffrance.
Entre une mère qui s'affole et consulte au moindre signe et une autre qui laisse un trouble s'installer sans en voir la gravité, bien des cas de figure se rencontrent qui démontrent toute la difficulté d'être parent.

À SAVOIR

La notion même de « *normalité* » et d'« *anormalité* » est à relativiser. Personne n'est anormal, ou normal, puisqu'il s'agit seulement d'une référence par rapport à un code (une norme), et que personne ne satisfait jamais tous les critères de celui-ci. Donc il n'y a pas d'enfant anormal, même dans les cas de pathologie avérée, mais un enfant qui rencontre des difficultés et qu'il va falloir soulager.

Il existe un continuum entre le normal et le pathologique, et il est parfois difficile de dire avec précision à partir de quel moment un comportement est passé d'un état à un autre. Un trouble s'installe par palier, progressivement, et peut très disparaître rapidement, et spontanément. Les réactions des parents et de l'entourage proche sont bien sûr très importantes dans l'évolution de ce trouble. Selon la façon dont il est interprété, et selon les stratégies développées, il peut se résoudre ou au contraire empirer.

Les naissances sont aujourd'hui très préparées, peut-être même trop. La lecture d'ouvrages contradictoires et le recueil de conseils souvent très différents n'ont parfois fait qu'aggraver le manque de confiance en soi du parent. Combien de mères nous disent être perdues entre les conseils de la maternité, ceux de leur pédiatre et ceux de leur propre mère ? Bien des parents en oublient ce qu'ils auraient voulu spontanément faire !

Cet ouvrage ne se donne donc pas pour visée de fournir un nouveau guide du bon parent, mais juste d'apporter des informations concrètes aux questions qu'un parent peut se poser. Et son principal conseil est le suivant : faites-vous confiance ! Votre compétence à être parent ne doit pas être remise en cause par des professionnels ou des personnes de votre entourage. Vous trouverez la plupart du temps une réponse naturelle aux besoins de votre enfant.

Donc si « *on* » vous dit de le laisser crier et que vous avez envie de le prendre dans vos bras, prenez-le ! L'une des meilleures façons de comprendre ce qui se joue dans la relation avec votre enfant est aussi tout simplement de vous interroger sur vos

propres émotions. Vous êtes inquiets, tendus ? L'enfant le ressentira et s'endormira encore moins facilement.
Il a besoin de se sentir en sécurité pour s'abandonner au sommeil. Donc il faut qu'il vous sente vous aussi en confiance. Vous trouvez qu'il ne parvient pas à se « *décoller* » de vous, qu'il pleure dès qu'il ne vous voit plus, ou dès qu'il n'est plus dans vos bras ? Interrogez-vous sur votre propre inquiétude à le laisser seul. La solution n'est pas forcément uniquement dans ces modalités de la relation, mais celles-ci jouent un grand rôle dans la régulation des tensions quotidiennes.

S'il faut répondre à la question « *à partir de quand s'inquiéter ?* », il est à nouveau nécessaire de répéter qu'il n'y a pas de règle, pas de valeur absolument exacte, puisque ces conseils devront s'adapter à chaque enfant, à son âge, et à la situation qu'il vit avec sa famille.
Plus une consultation est précoce, plus le trouble peut être aisément résolu. La détection rapide est donc utile, mais sans pour autant que des démarches importantes soient entreprises. En parler au pédiatre lors d'une visite de routine peut aider à libérer bien des choses. Il faut essayer de se débarrasser de cette culpabilité qui fait qu'on n'ose pas évoquer les problèmes. Donc être aussi sincère et exact que possible avec le professionnel auquel on vient demander de l'aide. Si vous vous disputez tous les soirs bruyamment avec votre conjoint, cela peut fournir une explication très simple aux troubles du sommeil de votre enfant ! Et en parler peut vous aider à soulager ces conflits.
Sans être aussi extrême, une situation familiale difficile, même vécue dans la discrétion, aura souvent des répercussions sur le comportement de l'enfant, qui « *sent* » la tension qui s'est instaurée. Une tristesse, un deuil caché, n'échappe pas même au petit enfant, puisqu'il est entièrement tourné vers vous et vers vos émotions, dont il dépend.

Quand s'inquiéter ?

Il y a deux critères pour juger de la sévérité d'un trouble : son importance et sa fréquence.
Si un enfant passe toute une nuit sans dormir, à hurler, l'importance de cette manifestation amènera sans doute à consulter, ne serait-ce que pour écarter le risque d'une maladie physique. Ici c'est l'importance du trouble qui alarme, son caractère envahissant et insupportable, tant pour l'enfant que pour sa famille.
Si, jour après jour, soir après soir, les parents ont des difficultés à endormir leur enfant, que ce trouble ne cesse pas avec le temps, malgré leurs tentatives pour le faire disparaître (bercement...), une consultation s'avère également nécessaire.
Dans ce cas c'est la fréquence du trouble qui entre en compte. Ce caractère d'installation de la difficulté risque d'en engendrer bien d'autres. Il génère une souffrance et doit alerter les parents.
Si un enfant se réveille une nuit, terrorisé, criant dans son lit et ne se calme pas tout de suite à l'arrivée de son père ou de sa mère, on a probablement affaire à ce qu'on appelle une *« terreur nocturne »*. Si celle-ci ne se reproduit pas, il est *a priori* inutile de s'inquiéter outre mesure. En parler à l'occasion à un médecin ou une puéricultrice, quelqu'un qui connaît l'enfant, pourra soulager l'angoisse née suite à cet événement, et aider à en rechercher les causes.
En revanche si cette terreur nocturne se reproduit plusieurs fois d'affilée ou a une fréquence rapprochée, un trouble est entrain de s'installer et il faudra s'attacher pleinement à sa résolution.

Il faut s'inquiéter aussi lorsqu'un enfant manifeste un comportement différent de celui qu'il avait jusqu'alors. Il y a des petits et des gros dormeurs, des enfants au sommeil plus profond et d'autres l'ayant plus léger, des enfants qui s'endorment facilement et d'autres qui manifestent davantage de difficultés.

Vous connaissez votre enfant, ses rythmes, ce qui lui plaît et ce qui le met en colère, ce qui le rassure et ce qui l'angoisse.
Une modification importante par rapport à son comportement doit attirer l'attention, surtout bien sûr si celle-ci induit des effets négatifs. Le « *doudou* » si magique ne le calme plus ? Lui qui dormait d'un trait se relève à présent toutes les nuits et demande à dormir avec vous ? Alors qu'il était propre depuis plus d'un an, voilà qu'il fait pipi au lit ? Ces signes sont à considérer comme des manifestations d'une plus grande fragilité chez l'enfant, et il faut y être attentif.

Un trouble du sommeil peut passer presque inaperçu. Un enfant de 2 ans est couché, il s'endort, mais se réveille quatre heures plus tard sans parvenir à se rendormir. Il ne crie pas, ne pleure pas, rien de réveille ses parents et ne leur permet donc de réaliser qu'il ne dort pas. Il peut jouer silencieusement avec les peluches posées dans son lit, ou simplement fixer son attention sur des parties de la pièce.
L'insomnie peut ne pas être totale et l'enfant se rendort alors, par petites tranches, ou somnole à moitié. Mais le résultat sera là, il n'aura pas assez dormi.
Il faut dès lors être vigilant quant aux signes de fatigue donnés dans la journée. Il est courant qu'un enfant, surtout lorsqu'il est jeune, encore en âge de faire la sieste, montre des signes de fatigue dans la journée. Bailler, arrêter subitement de jouer pour venir se lover dans le canapé, sont des comportements habituels et qui ne doivent pas *a priori* inquiéter les parents.
Cependant une très grande fatigue se traduit autrement. L'enfant qui ne dort pas lutte contre le sommeil. Il n'a pas retrouvé les forces dont il aurait besoin pour être actif toute une journée.
Il peut alors être irritable, impatient, faire des colères inexpliquées. La moindre frustration le met en rage ou le plonge dans une grande détresse. Il peut être hyperactif, surexcité, ou même

agressif, cet excès de mouvement cachant son angoisse et masquant la fatigue réelle.
On peut aussi voir un enfant s'endormir partout dans la journée, être très somnolent, comme s'il avait attendu le jour, plus rassurant, pour se reposer.
Ces signes indiquent très souvent un trouble du sommeil que l'entourage n'a pas perçu, et doivent conduire à une consultation s'ils s'avèrent persistants.

PARTIE III

LES TROUBLES DU SOMMEIL

1. Qu'est-ce qu'un trouble du sommeil ?

Le sommeil est essentiel, vital. Si personne ne peut s'en passer, personne ne dort non plus de la même façon. Chez l'adulte, on observe de grandes disparités dans les habitudes de sommeil et les besoins nécessaires pour que le corps restaure son équilibre. Dans la première enfance, ces différences ne sont pas si marquées, même s'il existe bien sûr des variations individuelles qui ne doivent pas pour autant affoler. Ce n'est pas parce que votre enfant ne fait pas encore ses nuits comme le petit voisin, qui n'est pourtant âgé que de 4 mois lui aussi, qu'il est anormal !

Dans les premiers mois de la vie, l'enfant dort beaucoup, et la qualité et la durée de son sommeil deviennent pour les parents d'aussi grandes priorités que les moments privilégiés comme le repas ou les temps d'échanges et de jeux. Un réveil supplémentaire la nuit, avec des pleurs, inquiète souvent, et fatigue aussi. Avant de parler d'un trouble du sommeil, il faut laisser le temps à l'enfant de se rassurer et ne pas tirer de conclusions trop hâtives. Si ce problème se répète toutes les nuits, il faudra peut-être consulter. Mais pas de raisons de s'affoler, ou de se culpabiliser, si des difficultés ponctuelles se présentent.

Ayez confiance

La tension et l'inquiétude des parents sont directement transmises à l'enfant, et plus ceux-ci seront nerveux, anticipant avec difficulté la prochaine nuit de leur enfant, plus celui-ci aura naturellement des difficultés à s'abandonner au sommeil. Ayez confiance en vous donc, pour transmettre cette confiance et cette sécurité à l'enfant, et cherchez à comprendre et à élucider les petites difficultés qui ne manqueront pas de se présenter.

Sachez par exemple qu'un jeune enfant a souvent des difficultés à bien dormir dans un lieu inconnu, lors de votre arrivée sur un lieu de vacances par exemple. Un trouble physique peut aussi gêner son sommeil, comme des douleurs de digestion ou l'apparition d'une dent.
Ces fameuses dents ! Un enfant peut pleurer pendant plusieurs jours, avec des symptômes de fièvre, pour l'apparition d'une dent. Dès lors il s'agit d'un trouble du sommeil dont l'origine apparaît clairement plus physique que psychologique. Une consultation chez un pédiatre pourra s'avérer nécessaire si cette situation douloureuse persiste. Les conséquences d'un manque de sommeil chez l'enfant, telles la fatigue ou l'irritabilité, seront en revanche inchangées.

Les troubles du sommeil chez le nourrisson sont souvent difficiles à objectiver du fait des réveils biologiques nécessaires de l'enfant à cet âge, qui doit se nourrir très régulièrement.

On peut parler de troubles du sommeil devant des difficultés d'endormissement lorsque celles-ci surviennent plus de trois fois par semaine, entraînant souvent des conflits avec l'entourage. On évoque les troubles du sommeil devant des éveils nocturnes lorsque ceux-ci imposent au parent de rester éveillé plus de vingt minutes avant d'obtenir un rendormissement, ou devant des réveils précoces de l'enfant vers 4 ou 5 heures du matin.

Les troubles du sommeil ont deux origines principales, qui peuvent se trouver conjointes ou séparées : une anomalie organique et ou une difficulté psychologique liée au contexte familial. C'est la fréquence et l'intensité de comportements inadaptés qui entraînera la consultation.
Il est de toute façon important lors d'une consultation pour troubles du sommeil d'effectuer une forme d'*agenda du sommeil*

permettant d'établir les rythmes et habitudes de l'enfant, pour mieux comprendre les dysfonctionnements. Des examens somatiques peuvent être prescrits pour écarter toute origine organique à un trouble du sommeil récurrent, avant d'orienter l'enfant et ses parents vers une consultation psychologique.

Le sommeil correspond à un relâchement de la vigilance. L'enfant accepte de s'abandonner au sommeil alors même que celui-ci le prive d'un contact direct avec ses parents. Dès lors dormir implique d'être en confiance, et d'avoir intériorisé suffisamment de sécurité pour pouvoir se séparer un temps des objets d'attachement.
Lorsque pour différentes raisons l'enfant ne ressent pas cette sécurité, il peut montrer de grandes difficultés à l'endormissement ou faire de fréquents réveils angoissés, avec des pleurs difficiles à résoudre. Les consultations psychologiques parents-enfant peuvent permettre de prendre conscience de certaines difficultés, et de résoudre ces états de tension.

Les principales formes de troubles psychologiques

■ L'insomnie

Chez l'enfant elle doit comme chez le nourrisson conduire à des recherches sur les rythmes de sommeil, puis à des examens physiologiques avant, ou en même temps, que l'on étudie les causes psychologiques.

■ Les cauchemars

Ils sont très fréquents et il est nécessaire de les dédramatiser en permettant à l'enfant d'exprimer ses émotions et d'évoquer ses peurs. Ici encore, c'est la fréquence et l'intensité de ces cauchemars qui déterminera une indication de consultation.

Les terreurs nocturnes

Ce sont des réveils très angoissés, la présence du parent ne suffit pas à calmer l'enfant, et certains mouvements violents de ce dernier peuvent le blesser (chute à terre, contre le mur...). La prise en charge psychologique de l'enfant de sa famille peut être nécessaire pour résoudre les bouleversements nés de cette situation.

Le somnambulisme

C'est un trouble qui peut prêter à sourire du fait de son emploi souvent humoristique dans les livres ou les films, mais qui doit être pris au sérieux, surtout s'il s'associe à des terreurs nocturnes. Il marque souvent une anxiété chez l'enfant et peut constituer une indication de psychothérapie.

L'hypersomnie

A l'inverse de l'insomnie, l'hypersomnie constitue un comportement d'*excès* de sommeil. L'enfant somnole toute la journée, s'endort partout, manque d'attention, est difficile à réveiller. Il faut alors chercher si ce trouble trouve son origine dans une insomnie nocturne dont on ne s'est pas aperçu ou s'il possède d'autres raisons.

L'énurésie nocturne

Il s'agit d'un trouble affectant l'enfant qui fait « *pipi au lit* », après l'âge de la propreté. Cette énurésie s'accompagne ou non d'autres troubles du sommeil comme l'insomnie ou l'anxiété, et son origine est souvent à rechercher à la fois dans des causes physiologiques et psychologiques.

Les syndromes physiques

Un trouble du sommeil est révélateur d'un état de tension interne. Avant de s'attacher aux éventuelles causes psychologiques de celui-ci, il faut en rechercher les causes somatiques.
Il existe de très nombreuses formes de perturbation du sommeil, et leurs origines peuvent être multiples. Avant d'aborder les troubles dus essentiellement à des facteurs psychologiques, il est important de citer quelques syndromes physiques pouvant altérer la qualité du sommeil.

■ Douleurs suite à la naissance

Juste après la naissance, l'enfant peut avoir des séquelles douloureuses qui affectent son sommeil. L'accouchement constitue un moment fort, qui laisse une empreinte sur le corps de la mère comme sur celui de l'enfant. Suivant la façon dont celui-ci s'est déroulé, l'enfant risque d'en garder des souffrances éphémères ou persistantes.
Un tout-petit qui pleure quand on le manipule peut avoir des céphalées, dues par exemple à l'utilisation de forceps à l'accouchement, ou de petites lésions corporelles liées à la façon dont il a été extrait du corps de la mère. Il s'agit le plus souvent de légers problèmes musculaires ou osseux, mais qui constituent une entrave au bien-être de l'enfant, et la consultation d'un ostéopathe peut par exemple s'avérer nécessaire pour soulager ces tensions.

Le reflux gastro-oesophagien

Le reflux gastro-oesophagien est un trouble courant chez le jeune enfant, qui est à présent bien connu et efficacement soulagé par les pédiatres. L'enfant a des nausées, vomit, et sa digestion est problématique. Il existe certaines formes de reflux dans lesquelles l'enfant ne vomit pas. Il a de grandes brûlures d'estomac, qui le font beaucoup pleurer, et bien sûr mal dormir, mais peu de signes extérieurs indiquent qu'il s'agit d'un reflux. L'assistance du pédiatre pour diagnostiquer et soulager ce syndrome est alors nécessaire.

Petites maladies

Un enfant malade dort mal. Souvent, on voit apparaître les premiers symptômes d'une maladie, comme une angine ou une otite, par des troubles du sommeil et de l'appétit. L'enfant est irritable, il ne se calme pas quand on le prend dans les bras, il ne finit pas son repas ou n'en veut pas du tout. Rapidement d'autres signes, dont la fièvre caractéristique, vont permettre aux parents de réaliser qu'il s'agit bien d'un trouble physique et de consulter un médecin.

Une fois les causes somatiques écartées, il reste des troubles, ponctuels ou récurrents, dont l'origine est en grande partie psychologique. C'est à la description de ces troubles que cet ouvrage va essentiellement s'attacher. Il ne faut pour autant pas imaginer qu'il existe une séparation bien nette entre les origines physiques et psychologiques des troubles du sommeil. Dans bien des cas, les deux causes sont liées et un trouble est souvent surdéterminé.

2. Quelles en sont les conséquences ?

Un enfant qui ne dort pas assez, ou qui dort mal, est un enfant qui ne parvient pas à restaurer ses ressources et qui aura d'importantes difficultés à mener à bien les activités de la journée.
C'est vrai de n'importe quel adulte, et les jeunes parents le savent bien, qui retournent travailler après des nuits presque blanches, mais c'est d'autant plus vrai chez l'enfant, qui a des besoins très importants en sommeil pour achever le développement de son système nerveux.

Irritabilité

Un enfant qui ne dort pas est très souvent irritable. C'est une indication possible pour repérer un trouble du sommeil non aperçu. Nourrisson, il pleure, s'agace facilement, refuse de se laisser manipuler. Plus grand, il se montre intolérant à la frustration, jette les objets ou s'énerve pour un rien.
La fatigue qu'il ressent le rend plus vulnérable, donc il a du mal à réguler les tensions du quotidien, et le moindre problème l'irrite. C'est un phénomène qu'on observe aisément lorsqu'un enfant de 2 ou 3 ans n'a pas fait sa sieste, et qu'en fin de journée il se montre insupportable. Le manque de sommeil lui rend très difficile le contact avec autrui, l'attention que demande une relation, des échanges, et il va s'énerver à tout propos.

Troubles de l'attention

Les troubles de l'attention et de la concentration sont également la conséquence fréquente d'un trouble du sommeil. L'enfant a du mal à rester longtemps attentif, à diriger toutes ses facultés vers un même objet. A l'école, il va avoir tendance à « *décrocher* », à ne pas suivre l'intégralité de la leçon, ou à laisser son esprit vagabonder.

Certains jeunes enfants ont parfois l'air un peu obnubilé, le regard vague, s'attachant à des tâches habituellement réservées à des plus petits qu'eux. Un enfant de 2 ans va ainsi rester assis au lieu d'explorer la pièce, et s'absorber dans la contemplation de ses chaussures ou de son doudou sans prêter attention à ce qui se passe autour de lui.
Ces comportements font souvent l'objet d'un signalement par les professionnels de la crèche ou de l'école, l'enfant ayant des difficultés à s'intégrer aux activités avec les autres élèves.

Fatigue

La fatigue est bien sûr un symptôme courant à la suite de troubles du sommeil récurrents. L'enfant est plus fatigable, il ne veut pas marcher au parc, n'a pas la force d'aller jouer dans la cour de récréation. Il s'endort n'importe où, n'importe quand, la tête sur sa table en classe ou dans le canapé du salon alors que ce n'est pas l'air du coucher.

Hyperactivité

L'une des conséquences fréquentes des troubles du sommeil est aussi l'hyperactivité. Cela peut sembler paradoxal, mais un enfant qui n'a pas assez dormi est souvent agité, il compense son épuisement et l'angoisse liée à l'endormissement par des manifestations bruyantes et parfois dangereuses.
Il se peut par exemple qu'il pousse des cris perçants, même à un âge avancé, ce qui est rapidement insupportable pour son entourage. Il court, glisse, saute dans l'appartement, sollicite l'adulte à tout propos, et passe très rapidement du rire aux larmes.
Il peut également avoir des comportements dangereux, comme escalader des fauteuils ou tirer la nappe d'une table au risque

de se faire tomber une lampe sur la tête. Ces attitudes épuisantes pour lui comme pour les parents visent essentiellement à attirer l'attention de ces derniers, et manifestent une lutte effrénée contre l'angoisse liée à l'abandon qu'implique l'état de sommeil. Ces enfants restent hyperactifs comme pour résister au sommeil, pour ne pas y céder tant ils en ont peur. On les retrouvera parfois endormis soudainement, terrassés d'épuisement sur le siège de la voiture ou quelque part dans l'appartement, en général lorsqu'il fait jour et qu'un adulte rassurant est à proximité.

De la grande fatigue à l'extrême agitation, les répercussions d'un trouble du sommeil sont donc très variées. Certaines de ces manifestations peuvent être la conséquence d'un trouble différent et une consultation s'avérera nécessaire si ces comportements persistent. Pour la famille et l'entourage, de telles manifestations sont rapidement intolérables. L'enfant qui ne se concentre pas a l'air de ne pas écouter ce qu'on lui dit, d'être détaché de tout. Celui qui grimpe aux murs épuise par son agitation et ses mises en danger, tandis que l'enfant irritable donne l'impression de faire des caprices, ou d'être un « *enfant gâté* ».
Il est important de comprendre qu'un tel comportement marque une souffrance chez l'enfant, et que celui-ci exprime par là une difficulté. Le réduire à son symptôme, en disant par exemple *« c'est un enfant agité »*, serait nier l'existence d'un trouble et risquer de voir la situation s'envenimer.

Il ne faut donc pas hésiter à demander de l'aide, auprès des structures de crèches ou d'écoles élémentaires par exemple, pour savoir ce qu'elles ont repéré, ou auprès des centres de PMI (Protection maternelle et infantile) pour un enfant plus jeune. Ne pas rester seuls dans sa difficulté, ne pas avoir honte d'en parler, parvenir à n'accuser ni l'enfant ni soi-même, sont les clés pour se dégager rapidement d'une telle situation.

3. Que peuvent faire les parents ?

Qu'est-ce qu'on peut faire ? Cette question angoisse souvent les parents, qui se sentent trop souvent impuissants face aux difficultés de leur enfant. Voir son enfant aller mal, pleurer la nuit ou faire scènes terribles à l'heure du coucher est difficile à vivre, et on échappe rarement à la culpabilité qui s'en suit, de n'avoir pas fait, justement, ce qu'il fallait.
Nouveau rappel donc sur le fait qu'il n'existe pas plus d'enfant parfait que de parents parfaits, et que vos doutes sur votre compétence risquent de fragiliser encore plus votre approche de la situation.
Un enfant dort mal, qu'est-ce qu'on peut faire ? Les possibilités varient beaucoup selon l'âge de celui-ci.

Chez un nourrisson

Chez un nourrisson, ne pouvant pas communiquer avec ses parents par des mots et étant encore très dépendant de leurs soins, il faut s'attacher d'abord à des détails du quotidien. A-t-il assez chaud ? Est-il confortablement installé dans son lit ? A-t-il encore faim ? Est-il suffisamment rassuré ?
Souvent un bébé ne s'endormira qu'après avoir été bercé un certain temps, pour s'abandonner sereinement au sommeil. Si un soir vous êtes pressés et que ce rituel saute, pas besoin de chercher forcément très loin les raisons de ces troubles d'endormissement.
Un jeune enfant possède des cycles de sommeil assez rapprochés (voir la physiologie du sommeil) et il est important de respecter ces cycles pour le laisser récupérer pleinement.
Beaucoup de nourrissons confondent au début de leur vie le jour et la nuit, et vous devez les aider à structurer progressivement cette organisation du temps, avec davantage de sommeil durant

la nuit que durant la journée. Une mère qui a beaucoup de travail à la maison peut trouver agréable que son bébé fasse de si longues et de si fréquentes siestes dans la journée, mais alors, la nuit sera beaucoup moins simple !
Si des difficultés persistent, par exemple des réveils angoissés avec pleurs difficiles à calmer, ou une lutte au moment de l'endormissement, il faut tâcher de s'interroger sur soi pour accéder à une meilleure compréhension de l'enfant.
Comment vit-on cette « *séparation* » nocturne ? Quelles inquiétudes nourrit-on au sujet de son enfant ? Qu'est-ce qui pèse, inquiète, et qui pourrait faire que celui-ci ressente une angoisse et ait du mal à accepter la nuit, et le sommeil ?
Si les parents, pour une raison qui leur est propre, sont eux aussi mal à l'aise avec ce temps de séparation, l'enfant ira souvent dans leur sens et n'acceptera pas cet état. Ces situations se rencontrent souvent par exemple avec des familles dont l'enfant est né prématurément. La fragilité de celui-ci, et le fait qu'ils en aient été séparés à la naissance, fera que dans les premiers temps les parents supporteront parfois difficilement d'en être séparé d'une façon ou d'une autre.

A partir de 3 ans

Avec un enfant plus âgé, à partir de 3 ans environ, on pourra dialoguer. Pour que l'enfant ose parler de ses craintes, il faudra choisir des moments tranquilles, « *légers* », durant lesquels celui-ci n'aura pas l'impression qu'on lui parle pour le gronder. Il peut être utile d'avoir recours à des métaphores qui seront plus proches de son langage.
Il a peur la nuit, peur du noir, ou peur de dormir. Mais sa peur est en grande partie irrationnelle et sera donc difficilement communicable. Il se réveille en pleurs la nuit, et se calme difficilement. Souvent, la représentation de ce qui le terrifie passera par la métaphore du

« *loup* », ou des « *monstres* », ou encore des « *méchants* », et il faut en général expliquer à l'enfant que les monstres n'existent pas ne changera pas grand-chose à la situation.

Pour dialoguer avec un jeune enfant, il vaut mieux entrer un peu avec lui dans son imaginaire. « *Que font les loups ? Tu crois que les monstres pourraient entrer dans ta chambre ?* » Progressivement, il vous parlera alors de cette peur d'être seul, la nuit, quand vous n'êtes plus immédiatement là pour le sécuriser. Une peur que quelque chose de terrible arrive, une peur des méchants qui pourraient vous prendre.

LA FAUTE AUX CONTES DE FÉE ?

Ces métaphores empruntent aux histoires de chaque culture, de chaque famille, mais elles recouvrent bien les mêmes réalités des peurs enfantines. Ce n'est pas le conte de fées qui a créé la peur du loup, il a simplement fourni à l'enfant une représentation pour ses angoisses les plus indicibles.

Quelquefois parler suffira. Rappelez que vous êtes tout près, dans la chambre juste à côté, quand il dort. Que vous ne laisserez passer aucun monstre. Que vous, les monstres ne vous font pas peur.

D'autres fois, il faudra entrer un peu plus avant dans son imaginaire. Y participer. Adhérer à la pensée magique de l'enfance pour le rassurer. Un petit garçon de 4 ans avait beaucoup de mal à s'endormir tant que son papa n'était pas rentré. Mais celui-ci rentrait toujours très tard, et ne pouvait voir son enfant que durant les week-ends à cause de son travail. Pour parvenir à endormir leur enfant, les parents développèrent une stratégie qui s'avéra très efficace : l'enfant choisit une peluche qu'il posait sur son lit en s'endormant, et que son père devait déplacer près de lui quand il rentrait. Au réveil, l'enfant avait ainsi la certitude que

son père était bien venu le voir, et le lien était maintenu.
Une autre famille rapporta à son enfant des « *pilules magiques préparées par un sorcier* », en fait de simples petites pastilles au miel, qui étaient des « *médicaments contre la peur* ». Les exemples foisonnent des petites réassurances que les parents ont ainsi pu proposer à un enfant inquiet.

Il arrive un moment où on ne sait plus quoi faire. Où les stratégies trouvent leurs limites. Il faut alors assumer, sans se dévaloriser, le fait qu'on a besoin d'aide. Décider de consulter un professionnel pour un trouble du sommeil quand celui-ci entrave tout le fonctionnement familial faisant souffrir l'enfant et ses parents est un geste responsable, qui prouve non pas qu'on est impuissant, mais qu'on met tout en œuvre pour résoudre la situation.

Les parents doivent-ils prendre l'enfant dans leur lit quand il n'arrive pas à dormir ?

Tout petit, même avant d'avoir l'âge de bien savoir parler, un enfant va pouvoir manifester le désir de passer la nuit avec ses parents. Plus jeune, quand il n'est encore qu'un nourrisson devant être nourri la nuit, les parents vont s'interroger sur la conduite à tenir avec un bébé qui ne se calme qu'à la proximité immédiate de l'un d'entre eux.
Entre les conseils qui incitent à ne jamais prendre son enfant dans son lit, au risque de le rendre capricieux, et ceux qui invitent à céder souvent à cette solution, pour éviter les conséquences du refus, il est souvent difficile pour de jeunes parents de se situer clairement par rapport à cette question.

Les réponses ne sont pas forcément aisées, et en tout cas sont à adapter à chaque situation spécifique vécue par une famille. L'âge de l'enfant joue bien sûr un rôle important dans les conduites.

Chez le nouveau-né

Chez le nouveau-né, le besoin de proximité immédiate est intense. Beaucoup de professionnels de l'enfance considèrent que les premières semaines de la vie de l'enfant devraient constituer une « *grossesse externe* », durant laquelle l'enfant est beaucoup porté, bercé, et se trouve régulièrement en contact avec le corps de ses parents. Ces recommandations sont d'autant plus valables chez un prématuré.
Pour rendre plus douce et progressive la séparation d'avec le milieu utérin, l'enfant a besoin de sentir la chaleur et l'odeur de la peau. Les moments de repas, qu'ils soient au sein ou au biberon, et les échanges grandissants de jour en jour contribuent au développement d'une relation sécurisante pour l'enfant. Bercé, il s'endormira souvent plus facilement.
Si néanmoins il pleure avant de s'endormir ou se réveille en pleurant, et que ses pleurs ne cessent pas, la mère peut être amenée à se demander si elle ne ferait pas mieux de le prendre avec elle dans le lit. Nombreux sont les exemples d'enfants qui se calment dès qu'on les prend et qui se remettent à pleurer à peine posés dans leur lit. Ces pleurs peuvent être passagers. Mais s'ils durent, pour une raison encore mal connue, et que la mère souffre d'entendre son bébé pleurer tout en s'épuisant à chercher à le calmer, il paraît finalement assez judicieux que ce soir-là elle choisisse de le prendre avec elle pour la nuit.

Allaitement

Beaucoup de mères qui allaitent choisissent dans les premières semaines de vie de leur enfant de lui donner le sein dans leur lit pour moins se fatiguer. Ce système en vaut un autre dès lors que l'enfant apprend aussi à dormir dans son lit, et que la mère va progressivement lui laisser davantage d'autonomie.

Quand on prend un nourrisson avec soi dans son lit, la principale recommandation porte en fait sur la sécurité de l'enfant : il ne faut bien sûr pas qu'il puisse tomber, un lit d'adulte n'étant pas conçu comme un lit d'enfant. Le placer entre soi et le mur, ou protéger des angles avec un traversin, permet de s'endormir plus sereinement en attendant que vienne le matin. De même lorsqu'on allaite l'enfant au lit, il faut vérifier également qu'il ne pourra pas tomber de l'endroit où il est, car il n'est pas rare qu'épuisée par les nuits blanches une mère s'endorme avec son enfant en cours de tétée.
Chez un nourrisson donc, surtout les tout premiers temps, il n'y a pas de raison d'imaginer que prendre de temps en temps son enfant dans son lit puisse le rendre capricieux ou dépendant. Cela doit se produire en général ponctuellement, si les parents ne trouvent pas dans l'immédiat d'autre solution pour le faire dormir.
Si un nourrisson ne veut plus dormir du tout loin du contact de ses parents, une consultation s'impose, car à cet âge ce n'est en rien un caprice ou de la « *manipulation* », mais cela signe un trouble qu'il faudra élucider.

Chez l'enfant plus âgé

Chez l'enfant plus âgé, les choses se posent différemment. Aller dormir dans le lit des parents devient l'enjeu d'une réassurance ou d'une opposition à l'un des deux parents. A partir de 2 ou 3 ans l'enfant peut en tout cas clairement marquer son désir d'entrer dans le lit de ses parents, alors qu'auparavant c'était les parents eux-mêmes qui décidaient ou non de prendre leur bébé dans leur lit.

Un jeune enfant anxieux, qui a peur du noir, ou qui a fait un cauchemar, va souvent demander à être rassuré en allant finir sa

nuit dans le lit de ses parents. La situation est ici délicate et bien connue : si je dis oui une fois, qu'adviendra-t-il des autres nuits ? Même s'il est encore très jeune, un enfant de 2 ou 3 ans doit pouvoir faire ses nuits tout seul. Il est même important qu'il apprenne cette indépendance par rapport à ses parents.
Mais il y a des situations dans lesquelles la détresse de l'enfant est telle qu'on ne peut se résoudre à le laisser seul à nouveau. L'entendre pleurer et crier est souvent déchirant, et il est alors bien sûr compréhensible qu'on cède à ce qu'intuitivement on voudrait faire depuis un moment : le prendre avec soi.
Là encore rien de dramatique à ce qu'un enfant ait passé quelques nuits dans le lit de ses parents, pour pouvoir enfin dormir et permettre à ceux-ci de se reposer également. Il ne faut simplement pas que cela devienne une habitude. Un enfant doit apprendre à acquérir progressivement son autonomie, il doit savoir qu'il peut supporter une nuit sans vous voir, qu'il ira bien, et qu'il ne lui arrivera rien. Il ne faut donc pas développer un comportement qui puisse lui faire penser le contraire.
Si les nuits difficiles persistent, vous obligeant à l'accueillir de plus en plus souvent dans votre lit, une consultation pédiatrique et ou psychologique s'avérera nécessaire pour dégager les membres de la famille de cette situation.

Pendant toute une partie de son enfance, et tout particulièrement entre 4 et 6 ans, un enfant va pouvoir développer certains comportements de séduction envers l'un de ses parents. Ces manifestations correspondent à ce que Sigmund Freud a nommé le complexe d'Œdipe, et sont extrêmement fréquentes et banales. Attention toutefois à ne pas se faire piéger ! C'est la période où la recherche de l'amour exclusif d'un des parents est associée à des attitudes d'opposition avec l'autre parent. L'enfant teste, cherche des limites dans sa possibilité d'accéder à l'autre, et les réactions des parents détermineront beaucoup l'évolution de son comportement.

Combien de parents ont déjà vu leur petit garçon de 4 ans venir dans leur chambre et dire au père : « *Toi tu vas dans mon lit, moi je dors avec maman.* » L'inverse se produit également très souvent avec la petite fille et son père.
Depuis sa naissance, l'enfant a découvert progressivement qu'il n'était pas le seul à recevoir l'amour de sa mère et de son père, mais que ceux-ci formaient également un couple, et que donc il allait devoir partager, admettre de ne pas recevoir tout l'amour pour lui seul. Cette angoisse est d'autant plus réactivée par la naissance éventuelle de frères et de sœurs avec lesquels il va falloir aussi partager.
Dans ce contexte, il est important que les parents tiennent une attitude et un discours clairs. Il faut rassurer l'enfant, en lui rappelant qu'il est aimé, et que l'amour porté à d'autres ne diminue en rien celui qu'il reçoit. Mais il faut également refréner ses désirs d'exclusivité. Un petit garçon qui veut dormir dans le lit de sa mère pendant que son père est en voyage n'a aucune raison de voir son désir satisfait.
Ces comportements vont évoluer un certain temps, avec plus ou moins d'intensité, puis disparaître naturellement si des réponses cohérentes des parents y ont été proposées.

Prendre son enfant une nuit dans son lit n'est pas grave, surtout s'il s'agit d'un palliatif à une situation de souffrance, mais c'est une solution qui doit rester ponctuelle, et qui n'a pas de raison de perdurer avec l'avancée en âge, au risque de repousser encore et toujours le moment redouté de la séparation.

4. Les différentes formes de troubles du sommeil

Il existe de nombreuses formes de troubles du sommeil, et parmi ces formes des modalités d'expression aussi différentes que le sont les enfants et leur famille.
Les principaux troubles sont décrits dans les pages qui suivent, et leur définition s'accompagne d'une illustration permettant de mieux comprendre les implications psychologiques de leur manifestation.

L'insomnie

Lorsqu'on pense à un « trouble du sommeil », on pense très souvent à l'insomnie. « *J'arrive pas à dormir* », déclare la petite fille en sortant de son lit. L'insomnie est une perturbation de la durée et ou de la qualité du sommeil. Lorsqu'elle s'instaure de façon durable dans la vie de l'enfant, elle entraîne très vite des conséquences néfastes sur son équilibre.
D'une façon générale, un enfant insomniaque est un enfant en manque de sommeil chronique qui n'arrive jamais à récupérer complètement de sa fatigue et qui développe en grandissant des stratégies pour aménager ce trouble s'il n'a pas pu être soulagé. Tous les degrés de sévérité se rencontrent néanmoins, et toutes les insomnies ne sont pas aussi invalidantes.

Insomnie à l'endormissement

L'une des formes les plus courantes est l'insomnie à l'endormissement. L'enfant est couché dans son lit, après avoir été bercé si c'est un bébé, ou avoir écouté une histoire s'il est plus grand, on éteint la lumière et… l'enfant ne s'endort pas.
Nourrisson, souvent il s'agite et pleure. Quelquefois il reste silencieux, éveillé, observant des yeux les contours de sa chambre.

Plus âgé, il se tourne et se retourne, hésite à se relever car il sait que ses parents risquent de le gronder s'il le fait.
Le sommeil peut mettre longtemps à venir, soit que l'enfant ait peur et lutte contre celui-ci, appelle ses parents ou demande à dormir avec eux, soit qu'il n'ait simplement pas la sensation d'avoir sommeil, et que l'endormissement en soit retardé d'autant.

Ce type d'insomnie rend l'enfant très fatigué au réveil, surtout s'il doit se lever le matin pour aller à l'école. Le problème dans ce cas se situe essentiellement au niveau de l'entrée dans le sommeil, de l'abandon à celui-ci, et ensuite l'enfant dort *a priori* bien jusqu'au matin.
Les causes sont donc à rechercher dans la période de l'endormissement et dans les inquiétudes qu'elle est susceptible de mobiliser. Selon chaque situation familiale, des raisons particulières peuvent être identifiées, qui peuvent induire ou renforcer le trouble du sommeil.

Guillaume

Guillaume a 3 ans et demi, il est né dernier d'une fratrie de quatre enfants, avec une différence d'âge importante avec ses frères et sœurs, et vit avec jalousie et tristesse le fait de devoir aller se coucher bien avant eux. Il arrive fréquemment qu'au moment où il est l'heure pour lui de dormir, enfants et parents se retrouvent dans une activité ludique à laquelle il ne peut participer. Un jeu de société, après le dîner, auquel son jeune âge et son plus grand besoin de sommeil ne lui permettent pas de se joindre. Sa frustration est souvent vive de manquer de tels instants privilégiés, et il guette de sa chambre la voix et les rires de ses parents et de ses frères et sœurs. Parfois il n'y tient plus et sort pour venir participer aux jeux, ce qui entraîne des réprimandes de ses parents. Il revient alors dans sa chambre, mais ne s'endormira que lorsqu'il sera certain que tout le monde dort aussi.

De telles situations sont souvent aggravées par le fait que l'enfant a l'impression de ne pas recevoir assez d'attention, parce que ces parents travaillent beaucoup, ou qu'une fratrie nombreuse oblige à vivre essentiellement les moments « *en commun* ».
Une solution possible dans ce cas pourra être pour les parents de passer un moment avec l'enfant insomniaque peu de temps avant l'heure de son coucher, en ne s'occupant que de lui, afin d'atténuer son sentiment d'abandon et de frustration, et de lui montrer combien lui aussi a de l'importance.

Insomnie de milieu de nuit

Une autre forme d'insomnie courante est l'insomnie de milieu de nuit. L'enfant s'endort sans trop de difficultés, il dort profondément en début de nuit, mais se réveille en pleine nuit, à minuit, 3 heures ou 5 heures du matin, et ne parvient pas à se rendormir tout de suite.
Les conséquences de ce type d'insomnie seront d'autant plus importantes que le temps jusqu'au rendormissement sera long. Beaucoup de situations existent ici à nouveau, la grande différence se situant dans la présence ou l'absence de manifestations durant cette insomnie.
Un enfant qui pleure ou qui se lève en pleine nuit pour aller voir ses parents manifeste ouvertement son trouble, tandis qu'un enfant qui reste silencieux pourra laisser inaperçue son insomnie.

Lorsqu'il s'agit d'un nourrisson, cette insomnie de milieu de nuit signe très souvent l'existence d'un trouble physique associé, et les cris et les pleurs qui accompagnent cet inconfort alertent rapidement les parents.

JULIE

Julie est un beau bébé âgé de 1 mois, se portant bien, premier enfant d'un couple dont le père est souvent absent pour son travail. Elle est présentée en consultation pour la première fois, car elle pleure chaque nuit vers 2 heures du matin depuis sa sortie de l'hôpital. Dans la journée, elle est très facile, entièrement allaitée au sein, elle reçoit ses repas à la demande. Ces repas diurnes interviennent toutes les trois heures environ, et la mère la laisse téter jusqu'à satiété. Toutes les nuits, Julie se réveille entre 1 heure et 2 heures du matin, et pleure pendant une heure environ. La mère s'inquiète car les voisins se sont beaucoup plaints. Interrogée, cette mère explique qu'elle se lève pour bercer l'enfant, qu'elle lui donne parfois un peu d'eau, mais qu'elle ne lui donne pas la tétée de peur qu'elle ne « *s'habitue* » à avoir un repas en pleine nuit.
Pourtant, le biberon d'eau calme Julie une demi-heure, puis celle-ci recommence à pleurer. En parlant avec cette mère, il apparaît rapidement qu'elle est tiraillée entre deux attitudes contradictoires : d'un côté son désir de soulager la faim de Julie, et de l'autre, son obéissance aux règles de sa famille, qui recommande de ne pas habituer l'enfant à réclamer la nuit.

Ici la situation est simple et sera rapidement résolue en rassurant la mère, et en expliquant les besoins d'un nourrisson à cet âge. A l'âge de 1 mois, Julie ne peut pas apprendre à se passer d'un repas durant la nuit (ce qu'elle fera très bien par la suite). Loin de s'habituer, elle risque de continuer longtemps à crier, puis face à la faim et à l'angoisse de voir celle-ci non résolue, elle pourra développer des troubles du sommeil durables, même à un âge où son corps supportera très bien de passer une nuit sans manger.

Cette maman prenait soin de son premier enfant, dans un contexte d'absence du père, et n'osait pas agir comme elle aurait naturellement souhaité le faire. Son inquiétude sur sa compétence l'a amenée à se raccrocher à des modèles familiaux, à ce qu'elle « *avait entendu dire* », au lieu d'avoir confiance en sa propre compétence à sentir les besoins de son enfant.

Dans un cas comme celui-ci, l'âge de l'enfant est déterminant. Pour un enfant plus âgé, capable *a priori* de « *faire ses nuits* », les recherches de causes se seraient portées sur d'autres aspects que les seuls besoins nutritionnels.

JUSTINE

Justine a 8 ans, elle vient d'emménager dans une nouvelle ville avec sa famille et son petit frère âgé de 5 ans. Cela fait deux mois qu'elle est inscrite dans sa nouvelle école, mais elle n'a pas encore d'amis et regrette beaucoup sa meilleure amie restée dans son ancienne ville. A l'école, c'est compliqué. Son arrivée en cours d'année a attiré l'attention des autres élèves et sa timidité s'en est trouvée redoublée. Ses parents ont été très occupés durant ces dernières semaines à cause de leur nouveau travail et des démarches à faire à la suite de l'emménagement.

Alors, presque toutes les nuits, elle se réveille très inquiète et met beaucoup de temps à se rendormir. Elle s'endort bien le soir, parce qu'elle est fatiguée et qu'elle est rassurée de voir son papa et sa maman, mais dans la nuit elle s'éveille, et elle pense avec inquiétude à la journée d'école qui l'attend le lendemain.

Justine ne parle pas de ces longs moments d'angoisse, la nuit, elle trouve que ses parents ont assez de problèmes comme ça, et puis elle a un peu honte de ne pas être à l'aise, comme les autres, dans cette école.

Dans une situation comme celle-ci, l'insomnie peut rester longtemps cachée, les parents ne réalisant que très tard le problème de leur enfant. Comme très souvent à l'apparition d'un trouble, on voit que c'est un ensemble de facteurs qui conduit à son initiation et à son maintien.

La base est néanmoins souvent la même : une fragilisation du sentiment de sécurité interne. Justine n'a pas confiance en elle, elle ne sait pas comment faire face à la situation qu'elle vit, et elle n'ose pas demander de l'aide.
L'assistance conjuguée des parents et de l'institutrice sera sans doute nécessaire pour résoudre cette situation qui risque de durer et de s'aggraver. Parler de sa nouvelle école avec Justine, prendre du temps avec elle pour lui faire découvrir sa nouvelle ville, ou encore lui proposer de téléphoner souvent à sa meilleure amie peuvent être des initiatives rapidement bénéfiques à celle-ci.
A l'école la maîtresse devra veiller à ce que Justine trouve sa place et tenter de nouer un dialogue avec elle pour l'amener à exprimer ses difficultés. Si celles-ci persistent, une consultation psychologique peut constituer un soutien fort dans la compréhension et la résolution de sa souffrance.
Ces insomnies de milieu de nuit peuvent se déclencher en toute fin de nuit, vers 5 ou 6 heures du matin, et souvent l'enfant s'occupe dans sa chambre en attendant l'heure de se lever. Dans ce cas la fatigue s'accumulera jusqu'à ce que l'entourage s'aperçoive de l'existence d'un trouble du sommeil.

Quand l'enfant ne reste pas discrètement dans sa chambre, il vient souvent trouver ses parents en pleine nuit, les réveillant, ce qui bien sûr n'est pas toujours bien accueilli. Il veut parfois être rassuré, et pris dans le lit des parents, ou il vient simplement annoncer qu'il ne peut pas dormir, en espérant que ses parents vont lui fournir une solution.

Si une réassurance ponctuelle peut parfois être trouvée alors, le plus souvent le trouble nécessitera une interrogation sur ses origines et ses possibilités de résolution.

■ Quand l'ensemble du cycle du sommeil est perturbé

Il existe également une forme plus rare, et plus grave, de l'insomnie, dans laquelle l'ensemble du cycle de sommeil est perturbé. Le sommeil est morcelé, les cycles ne sont pas complets. La qualité du sommeil est très altérée et les réveils fréquents alternent avec les difficultés à se rendormir. L'enfant ne s'abandonne pas complètement au sommeil, il est agité, tendu, son inquiétude lui donne l'impression d'être « *sur le qui-vive* ».

Cette forme d'insomnie passe rarement inaperçue, même s'il est possible que l'enfant réussisse à la cacher. Ses effets n'en sont pas moins invalidants. L'enfant au réveil n'est absolument pas reposé, il est tendu, triste, agacé. Ses relations avec les autres et son travail à l'école s'en ressentiront, et il est possible qu'il s'endorme pendant la journée, l'essentiel de son angoisse se manifestant durant la nuit.

PIERRE

Pierre est âgé de 9 ans, il est très difficile à vivre pour son entourage depuis plusieurs semaines. Il ne veut plus faire ses devoirs, s'énerve pour un rien, et fond en larmes alors qu'il pleurait rarement. C'était un garçon sage, tranquille, et ses parents sont assez déconcertés par son comportement.
Il y a quelques mois, sa grand-mère qui s'occupait beaucoup de lui n'est plus venue le chercher à la sortie de l'école. On lui a dit qu'elle était malade et il demandait souvent quand elle reviendrait, et puis elle n'est pas du tout revenue. Depuis ce jour, et bien que ses parents aient essayé d'en

parler avec lui, il n'accepte pas sa disparition. Il dit ne pas aimer la baby-sitter qui vient désormais s'occuper de lui jusqu'au retour de sa mère et accueille cette dernière de façon anxieuse lorsqu'elle rentre.
Les parents de Pierre sont divorcés, il voit son père un week-end sur deux, et pendant une partie des vacances. Il semblait bien vivre cette situation jusqu'à la mort de sa grand-mère maternelle.
Pierre dort mal depuis cet événement. Il met longtemps à trouver le sommeil, se réveille fréquemment, et vient souvent trouver sa mère en lui demandant s'il peut dormir avec elle, alors qu'il ne le réclamait jamais avant.

On voit ici une situation complexe, qui sera difficile à résoudre par les parents seuls. Pierre est bien sûr malheureux de la disparition de sa grand-mère, d'autant plus qu'à son âge la compréhension du phénomène de la mort n'est pas aussi claire que pour un adulte. Mais cette disparition semble avoir été vécue comme un abandon. Il est inquiet et se montre beaucoup plus angoissé du retour de sa mère qu'auparavant.
La séparation de ses parents, même si elle semble avoir débouché sur un bon équilibre de vie, avait probablement dû créer une première fragilité, que la mort de la grand-mère est venue réactiver.
Pierre a probablement peur d'être abandonné, ou de voir disparaître les autres personnes qu'il aime. Il ne parvient plus à s'endormir paisiblement et l'inquiétude est telle qu'il ne veut pas rester seul.
Ce manque important de sommeil le rend plus nerveux pendant la journée, il fait des colères inexpliquées qui traduisent tout autant sa fatigue que son angoisse face à un possible abandon.
Prendre du temps avec Pierre pour lui parler, lui rappeler que ses parents l'aiment et seront toujours à ses côtés, est bien sûr une attitude utile à adopter. La question de la mort est souvent diffi-

cile à aborder, surtout par une mère qui est probablement elle-même très affectée par la disparition de sa propre mère. Cependant il ne faut pourtant pas la garder sous silence, et permettre à l'enfant de réaliser un deuil lui aussi, à sa façon.
L'importance de l'angoisse de Pierre montre que celle-ci se nourrit d'autres difficultés mal réglées. Les parents divorcés sont souvent facilement culpabilisés par les problèmes de leur enfant et ne doivent pas s'accabler en ces occasions. Un divorce vaut souvent mieux pour un enfant qu'un climat de tension perpétuel, avec des parents qui s'affrontent devant lui. Il vaudra sans doute mieux s'adresser à un thérapeute, à une personne extérieure, que de chercher à régler soi-même les aspects passés ou présents du divorce qui ont pu affecter l'enfant.

Ici le trouble de Pierre est très important. Il risque d'entraver sa réussite scolaire et ses relations avec les autres. Une consultation individuelle avec un psychologue ainsi qu'une consultation en thérapie familiale avec ses parents pourront lui être secourables.

Les cauchemars

Mon enfant fait des cauchemars. Fort peu de parents échapperont à ce phénomène, qu'il soit ponctuel ou récurrent. En pleine nuit, ou au petit matin, l'enfant se réveille en pleurant, en criant, et s'il sait parler vous appelle.

■ Chez un nourrisson

Chez un nourrisson les phases de sommeil paradoxal, durant lesquelles apparaissent les rêves, sont plus nombreuses que chez l'enfant plus âgé, et des réveils liés à des cauchemars peuvent fréquemment apparaître. Souvent, le sommeil paradoxal est un sommeil très agité. L'enfant a des mouvements nerveux du

visage, des bras et des mains. Quelquefois, il émet des sons, des babils ou de petits cris.
Il n'est pas forcément nécessaire de s'inquiéter lorsqu'un nourrisson pousse ainsi quelques petits cris ou pleurs pendant son sommeil, la plupart du temps cela ne le réveillera pas complètement et il se rendormira profondément. Le prendre dans ses bras au moindre son serait donc davantage une perturbation de son sommeil qu'un soulagement.
Dans d'autres cas en revanche, le bébé pleure franchement, il s'agite, et ses cris ne se calment que lorsque ses parents interviennent. Dans les premiers mois de la vie, il est souvent difficile de distinguer entre un cauchemar et un trouble d'origine différente. Les déterminations sont souvent multiples et mêlées. Comment savoir précisément si votre enfant a fait un cauchemar, ou s'il s'est réveillé et a pleuré en ayant peur de se trouver seul dans sa chambre ?
Le cauchemar correspond à un état du sommeil souvent oppressant, durant lequel des apnées ou des dyspnées peuvent s'observer (c'est-à-dire des difficultés de respiration). Des inquiétudes, des angoisses non symbolisables durant la journée, resurgissent pendant la nuit, dans des rêves inquiétants et désagréables.
Jusqu'à l'acquisition de la parole, il sera donc très difficile de savoir avec certitude si l'enfant a fait un cauchemar et quelle origine celui-ci peut posséder. Si des réveils fréquents et angoissés se multiplient, sans qu'une cause physique (comme un trouble digestif ou de la fièvre) puisse y être associée, il convient de consulter, d'abord un pédiatre puis éventuellement un thérapeute, car cette situation fatigue beaucoup l'enfant et les parents, et crée un climat de tension rapidement dommageable.

Chez l'enfant à partir de 30 mois

Chez l'enfant à partir de 30 mois, la maîtrise du langage va permettre d'exprimer le contenu du cauchemar et le vécu lié à

celui-ci. L'enfant se réveille en pleurant et appelle ses parents. On le retrouve dans son lit, assis le plus souvent, ou même sorti du lit. Il a déjà rallumé la lumière dans sa chambre.
Il se calme dans les bras de ses parents mais un temps plus ou moins long peut s'écouler avant qu'il n'accepte de retourner se coucher. Souvent il dit qu'il a peur et qu'il veut rester avec vous ou venir dormir dans votre lit.
L'évocation du cauchemar fait couramment référence à des thèmes classiques de ses peurs quotidiennes comme « *le loup allait me manger* », « *les méchants vont m'emporter* ». Dans certains cas l'enfant rapporte des éléments qui sont plus directement connectés avec la réalité, et il faudra alors y porter une attention particulière.
Par exemple dans le cas où il rapporterait une scène de l'école, comme « *Clément voulait me taper* », cela peut aider à comprendre combien certaines situations d'agressivité dans le milieu scolaire ont des répercussions angoissantes sur lui. Ou alors, à la veille du départ en colonie de son grand frère adoré, « *Je veux pas qu'il parte. J'ai peur, où est-ce qu'il va ?* ».
S'il s'agit de manifestations ponctuelles, liées à des situations aisément repérables, leur résolution sera généralement rapide. Le rêve contient beaucoup d'éléments qui n'ont pas pu être symbolisés pendant la journée, les peurs et les frustrations de l'enfant, qu'il a tues, et qui reviennent se manifester quand sa conscience est assoupie. Tout comme un enfant qui n'a pas participé à une sortie parce qu'il était malade et qui a vu partir ses copains avec tristesse et envie rêvera peut-être qu'il joue avec eux là-bas et qu'il est le plus rapide à la course ou le plus fort dans les jeux, un enfant gardant en lui une peur qu'il n'ose pas communiquer dans la journée pourra retrouver dans ses cauchemars cette angoisse symbolisée.
Lorsque les cauchemars deviennent récurrents, envahissants, que l'enfant se réveille plusieurs fois par semaine, ou pleure long-

temps et se débat dans son sommeil, il faut chercher les origines de cette situation, avec l'aide de la famille d'abord, puis éventuellement d'un médecin ou d'un psychologue.
Un enfant qui cauchemarde souvent est un enfant qui à la longue redoute le sommeil, qui peut être tendu, anxieux. La qualité de son sommeil est altérée. Souvent, il ne se sent pas assez reposé. La durée totale de sommeil diminue aussi en fonction de la fréquence et de la durée des réveils. La situation est rapidement épuisante pour les parents aussi, qui à force de fatigue risquent d'être de moins en moins disponibles pour l'enfant.

TIM

Tim a 5 ans. Il est l'enfant unique d'un couple qui a connu de nombreuses ruptures et réconciliations. Il s'entend bien avec sa nounou, qui le garde depuis l'âge de 6 mois, et qui vient encore souvent le chercher en début d'après-midi à la maternelle, quand il pleure parce qu'il veut rentrer à la maison.
Ses parents s'occupent beaucoup de lui le soir et le week-end, et adorent manifestement leur enfant, chacun à leur façon. Mais ils ont du mal à vivre ensemble, et leurs différends entraînent de violentes disputes que Tim entend éclater dans les pièces où ils se sont isolés pour ne pas l'en rendre témoin. Un climat de tension règne, même dans les moments apparemment paisibles, et Tim a progressivement développé un caractère assez anxieux, ne supportant pas d'être laissé longtemps seul.
En prévision de l'entrée à l'école primaire, les parents reçoivent des baby-sitters pour remplacer la nounou qui ne sera plus disponible l'année suivante. Celle-ci promet de venir voir encore Tim de temps en temps et tâche de le rassurer, mais il refuse d'écouter et part s'enfermer quand on lui demande de venir saluer la jeune fille qui se présente à l'entrée.
Tim avait déjà tendance à mal dormir. Il ne s'endormait qu'après de longs câlins et faisait parfois des cauchemars

certaines nuits. Il appelait alors son père et sa mère et leur disait de ne pas s'en aller. Ses parents le rassuraient et le calme revenait pour un certain temps.
Depuis qu'il sait que sa nounou va partir, Tim fait des cauchemars toutes les nuits. Il pleure, crie, appelle, et met beaucoup de temps à se rendormir après l'intervention de ses parents. Cette situation inquiète beaucoup ces derniers, surtout à l'approche de l'entrée à l'école primaire.

On voit dans un cas comme celui-ci que le manque de sécurité interne de Tim s'exprime surtout pendant la nuit. Légèrement anxieux au quotidien, il est plutôt bien adapté à la maternelle en dépit de réguliers retours anticipés. La relation avec sa nounou le stabilise et compense certainement l'inquiétude qu'il ressent par rapport aux disputes de ses parents.
A l'âge de 5 ans, Tim a déjà vu plusieurs fois ses parents se séparer, soit que son père quitte pour un temps le domicile familial, soit que sa mère l'emmène avec lui chez sa grand-mère qu'il connaît mal. Il a donc une peur presque constante de les voir se séparer à nouveau et, même si cette peur n'est pas justifiée, d'être abandonné par eux. Les disputes de ses parents légitiment son inquiétude. Dans ce contexte, le départ de la nounou constitue un événement insurmontable pour lui, qui vient confirmer cette possibilité d'être abandonné.

Lorsque ses parents se querellent, un enfant a très souvent tendance à se sentir coupable. Alors même que ce n'est pas lui qui est disputé, il croit que c'est à cause de lui que les personnes qui lui sont le plus chères se disputent.
La culpabilité, même si elle n'est pas consciente, vient alors jouer un rôle dans ce trouble du sommeil, l'angoisse n'ayant vraiment libre court que pendant la nuit et dans les rêves.

Dans une telle situation, dont les effets risquent à court terme, avec l'entrée à l'école, d'être très invalidants, une prise en charge psychologique s'impose. Il existe des consultations parents-enfant adaptées, permettant à Tim d'entendre son père et sa mère évoquer les grands problèmes qui le rongent et d'y réagir. Une consultation seul avec un thérapeute peut également assister Tim, résoudre son anxiété et lui permettre d'aborder sans peur tous les sujets qui l'angoissent.

Les terreurs nocturnes

Les terreurs nocturnes ressemblent à des cauchemars, mais leurs manifestations sont plus impressionnantes et plus inquiétantes. En cours de nuit, une à plusieurs fois par nuit quelquefois, l'enfant se réveille en criant et en pleurant. Ses cris sont affolés, il paraît souvent terrorisé et l'arrivée de ses parents ne suffit pas à le calmer. Même dans les bras, même alors que la lumière est allumée et qu'un adulte lui parle, il reste sidéré par la frayeur qu'il a eue.
Ces troubles du sommeil inquiètent beaucoup les parents qui pendant un certain temps se trouvent impuissants à apaiser leur enfant. Celui-ci se débat, pleure, respire difficilement et ne se calme qu'après un assez long moment. Le rendormissement est d'ailleurs généralement problématique, l'enfant ne voulant plus être laissé seul.

Devant un tel comportement, il est très souvent nécessaire de demander une aide extérieure. Si la terreur nocturne reste isolée, circonstanciée, un jour où l'enfant a été particulièrement éprouvé, il est probable qu'elle ne se reproduira pas. Elle indique néanmoins que l'enfant possède un sentiment d'insécurité latent, susceptible d'être réactivé par un événement difficile.
Si ce phénomène perdure, il entrave considérablement le quotidien ainsi que le bien-être de l'enfant et de sa famille. Un enfant

qui vit de telles terreurs, même si elles n'apparaissent de façon évidente que pendant la nuit, en garde des traces durant la journée, un contact souvent anxieux, et le monde ne lui paraît pas facilement rassurant.
Ces terreurs sont souvent aussi irrationnelles que les cauchemars, et si l'enfant les verbalise on retrouve souvent les thèmes des animaux dangereux ou des dévorations. La principale distinction se trouve dans l'intensité de ce cauchemar et dans l'adhésion de l'enfant à celui-ci. Même réveillé, il n'est pas rassuré, le retour à la réalité ne lui suffit pas pour accepter que tout cela n'était qu'un rêve et qu'il n'est pas objectivement menacé.
Dans certains cas, il peut ainsi rester terrorisé dans les bras de ses parents et donner l'impression de ne pas avoir compris qu'ils étaient là et que tout était fini. Il reste un temps variable sous l'emprise de son rêve terrifiant.

LUDIVINE

Ludivine a 6 ans, elle vit avec ses parents adoptifs depuis l'âge de 2 ans et a eu du mal à s'adapter à son entrée à l'école primaire. Elle n'a pas encore d'amis en classe, réclame beaucoup sa mère et refuse depuis toujours de dormir le soir sans lumière dans sa chambre.
Ses parents forment un couple uni, ils se sont battus longtemps pour parvenir à adopter un enfant et ont été très heureux de l'arrivée de Ludivine, même si celle-ci s'est montrée anxieuse à sa sortie de l'orphelinat. Ludivine est restée mutique plusieurs mois, puis son langage s'est développé lentement. Aujourd'hui ses résultats scolaires sont satisfaisants, seule son extrême timidité le handicape dans les activités en commun.
Il y a un an, de façon tout à fait inattendue, la mère de Ludivine s'est trouvée enceinte. Les parents se sont bien sûr réjouis de cette fécondité retrouvée, et ont pris du temps

pour en parler avec Ludivine, pour lui dire qu'ils l'aimaient tout autant, et que ce serait très agréable d'avoir une petite sœur ou un petit frère.
Pourtant, à la naissance de l'enfant, trois mois plus tôt, Ludivine n'a pas manifesté de joie. Le fait de voir ses parents heureux semblait accroître sa souffrance, et elle est devenue très silencieuse, alors qu'elle avait acquis une bonne utilisation du langage auprès des personnes de son entourage.
Depuis quelques semaines, elle est en proie à des terreurs nocturnes presque toutes les nuits. Elle ne se rendort ensuite que dans le lit de ses parents, ce qui a rapidement créé une situation intenable.

De telles situations sont assez peu fréquentes mais elles existent, et les passer sous silence ne ferait qu'aggraver leurs conséquences. Il faut éviter le piège de la culpabilité dans des cas comme celui-ci et oser en parler pour demander de l'aide. Les parents ne sont pas toujours et uniquement responsables de la souffrance de leurs enfants. De multiples causes entrent en jeu. Cependant ils sont leur principal support quotidien et doivent donc réagir pour leur bien-être.
Les parents d'enfants adoptés sont souvent confrontés à des situations complexes. Ils ont beaucoup d'amour à donner à un enfant qui n'en a souvent pas reçu assez avant de les rencontrer, et l'adaptation pourra être plus ou moins délicate.
Bien d'autres situations difficiles peuvent induire de tels troubles, comme une hospitalisation de l'enfant, une séparation prolongée ou un accident. Il est important de ne pas se considérer comme un mauvais parent parce que l'on ne parvient pas seul à démêler les origines d'un trouble, et d'assumer que demander de l'aide est aussi un acte responsable.

Dans le cas de Ludivine, il semble bien que son vécu antérieur à l'adoption ait joué un rôle déterminant. Elle n'avait peut-être pas

pu y acquérir des bases sécurisantes pour découvrir sereinement un nouveau foyer. Ou bien peut-être avait-elle tissé des liens privilégiés avec une personne de l'orphelinat et n'a-t-elle pas pu supporter facilement cette séparation.
Les réactions des parents semblent adaptées et saines. Qui pourrait leur reprocher de se réjouir à la naissance de leur second enfant ? Mais pour Ludivine, qui sait qu'elle a été adoptée, c'est une situation très angoissante. Elle craint certainement que ce nouvel enfant ne prenne trop de place et lui vole l'amour de ses parents puisqu'il est né d'eux, ce qu'ils souhaitaient depuis si longtemps.
Une telle situation nécessitera sans doute un travail psychothérapeutique approfondi avec Ludivine, qui pourra trouver un espace où parler de ses craintes, investir un nouvel adulte rassurant, et retrouver peu à peu le sens de sa propre histoire. Des séances avec la famille au complet pourraient également être aménagées.

Le somnambulisme

Le somnambulisme se manifeste par des comportements complexes et automatiques, incluant la déambulation hors du lit, au cours de l'un des stades les plus profonds du sommeil, le sommeil lent profond. Les somnambules se lèvent presque toujours au cours de la première moitié de la nuit, plus particulièrement pendant les deux heures suivant l'endormissement, et dans la majorité des cas, ils se limitent à déambuler dans leur chambre. Ils peuvent néanmoins se promener dans tout le logement, voire en sortir.

Le somnambulisme est un trouble du sommeil peu courant et très spectaculaire. L'enfant en âge de se déplacer se lève de son lit, se rend dans certaines pièces de l'appartement, y exécute quelquefois certaines actions, puis retourne se coucher sans un instant avoir été éveillé. Il agit mécaniquement, comme un automate et ses gestes évoquent souvent ceux du quotidien.

A un moindre degré, on observe des enfants qui parlent en dormant, qui se redressent dans leur lit, font toutes sortes de gestes, puis cessent de s'agiter aussi soudainement qu'ils avaient commencé à le faire.

Lorsqu'il y a déplacement dans le domicile familial, celui-ci apparaît très routinier, et les gestes eux-mêmes sont souvent ceux du quotidien, déplacer un objet, tirer une porte, écarter un rideau... L'enfant a les yeux fermés, et il agit sous l'emprise d'une impulsion. Une fois son mouvement achevé, il retourne généralement se coucher dans son lit et ne garde le plus souvent aucun souvenir de cette manifestation.

Les parents eux-mêmes peuvent ne pas s'en apercevoir si l'enfant est silencieux, et un tel trouble peut rester un temps inconnu. Les épisodes sont généralement assez courts, quelques minutes, durant lesquelles il se déplace, non pas les bras tendus comme on l'a souvent représenté, mais souvent les yeux ouverts, ce qui est assez impressionnant. Si on lui pose des questions, il y répond parfois par « *Oui* » ou « *Non* », mais un peu comme quelqu'un parlerait dans son sommeil, avec un contact au monde extérieur très diffus et décalé.

Il existe plusieurs origines possibles au somnambulisme, des causes génétiques ayant notamment été démontrées, avec une incidence héréditaire. Parmi les causes psychologiques, un stress, une privation de sommeil, ou un effort physique excessif et inhabituel sont identifiés comme des origines constatées dans certains cas.

Faut-il réveiller un somnambule ?

En règle générale, il ne faut pas réveiller un somnambule. Si vous lui suggérez de retourner se coucher, il suivra ce conseil dans la majorité des cas. Cependant, il ne faut pas hésiter à réveiller un enfant somnambule s'il se met en danger. Il faut dans ce cas le réveiller en douceur, progressivement, en prenant garde car ses réactions de surprise au réveil peuvent être brutales.

Une consultation pédiatrique sera nécessaire pour comprendre l'origine de ce trouble et prévenir son évolution. En attendant, veillez à adapter l'environnement pour qu'il soit sans danger pour l'enfant s'il se lève de son lit. Ecartez tous les objets contre lesquels il pourrait se blesser, tâchez dans la mesure du possible de le faire dormir au rez-de-chaussée, afin d'éviter qu'il ne prenne les escaliers. Enfin, verrouillez la porte pour éviter qu'il ne sorte de votre domicile. Il est souvent mal venu de fermer à clé la propre chambre de l'enfant, pour des raisons liées à la fois à son angoisse et à sa sécurité.

L'hypersomnie

Il arrive qu'un enfant dorme très longtemps, très profondément, semble encore fatigué après avoir fait pourtant une si grande nuit, et s'endorme souvent dans la journée, un peu n'importe où et à n'importe quel moment.
A l'inverse de l'insomnie, l'enfant semble ici ne jamais avoir eu assez de sommeil, il dort trop, mais ce n'est pas suffisant, et les réveils pour aller à l'école sont souvent difficiles.

Il existe beaucoup d'origines possibles à un tel trouble et, selon les cas, il faudra réfléchir au sens que prend cette manifestation dans la vie de l'enfant.
L'hypersomnie peut avoir des causes somatiques. La consultation d'un médecin si le phénomène prend de l'ampleur s'avérera nécessaire pour procéder à des analyses plus poussées.

Une fois les origines physiologiques écartées, beaucoup de possibilités demeurent encore. L'hypersomnie apparente peut n'être que la conséquence d'une insomnie jamais détectée et cachée par l'enfant. L'absence de sommeil pendant plusieurs heures au cours de la nuit justifie alors aisément qu'un enfant s'endorme dans la journée ou éprouve des difficultés particulières à se lever le matin. Il faut donc s'assurer que cet excès de sommeil ne cache pas un manque à un autre niveau, non aperçu.
S'il s'avère que l'hypersomnie n'est pas consécutive à une insomnie, alors ce trouble peut être étudié comme tel, en s'interrogeant sur les raisons de son apparition. L'enfant a-t-il toujours eu tendance à beaucoup dormir ? Le trouble s'est-il développé à la suite d'un événement particulier, d'un changement dans son rythme de vie ? Si l'enfant possède une maîtrise du langage suffisante, en parler librement avec lui, sans le gronder, pourra permettre d'en apprendre davantage.

Un enfant peut n'avoir pas bien supporté un changement de rythme scolaire, avec davantage de devoirs, surtout s'il multiplie les activités le soir, le week-end et le mercredi. Il est possible qu'il s'épuise sans s'en rendre compte, et sans oser se plaindre de cet emploi du temps chargé de sports et de loisirs qu'il a parfois lui-même réclamé.

L'école est le second lieu de vie de l'enfant, après son domicile familial. Il y passe des journées entières, y travaille et y joue, au milieu d'adultes et d'enfants de son âge. Que se passera-t-il s'il s'y sent mal ? C'est souvent l'une des grandes inquiétudes des parents, surtout que l'enfant hésite parfois à parler de ses difficultés. Le refuge dans le sommeil est alors un système de défense courant, l'enfant demandant toujours à dormir un peu plus avant d'aller à l'école, et espérant qu'on le laissera dans son lit plutôt que de l'envoyer affronter une autre journée là-bas.

Les parents pressés par les contraintes horaires se fâchent, surtout s'ils le retrouvent endormi sur le canapé alors qu'il avait enfin accepté de se lever, et cette situation prend vite l'allure d'un affrontement désagréable pour tout le monde.

Enfin il faut savoir qu'un grand repli dans le sommeil, dans une somnolence, une absence aux choses, peut être un signe de dépression chez l'enfant. Les états dépressifs sont souvent masqués chez les jeunes enfants, qui ne les expriment pas comme les adultes par des propos tristes et une douleur morale. La dépression est plus souvent cachée derrière des conduites de lutte contre celle-ci, comme l'hyperactivité, ou au cœur d'un détachement, d'un repli, avec manque d'intérêt pour les choses qui faisaient habituellement plaisir.
L'enfant n'a plus d'entrain, plus d'enthousiasme, il ne veut plus aller jouer dans la cour avec ses copains, et la phrase « *Je suis fatigué* » sert de paravent à une souffrance plus profonde. L'enfant se réfugie alors dans le sommeil, car cet état est par nature celui qui coupe des autres, et ce symptôme peut devenir envahissant.

MATHIEU

Mathieu a 12 ans, une grande sœur de 17 ans et un grand frère de 19 ans. Il a toujours été un enfant plutôt sage, très proche de sa mère, vivant les avantages et les inconvénients de sa situation de petit dernier. Sa mère a en effet choisi d'arrêter de travailler à sa naissance, et il a pu profiter de sa présence constante durant ses trois premières années, privilège que n'ont pas partagé ses aînés.
Ses frères et sœurs l'ont un peu jalousé du fait de cette chance qu'eux-mêmes n'avaient pas eue, et alternaient les comportements de maternage tendre avec des moqueries souvent dures.

Depuis à peu près deux ans, Mathieu mange trop, et surtout trop sucré. Comme ses parents essayent de surveiller davantage son alimentation du fait de sa récente prise de poids, il vole du chocolat et des gâteaux dans les placards, ce qui entraîne des réprimandes et des punitions. Ces punitions sont pour ainsi dire les premières qu'il ait jamais reçues, étant donné qu'enfant il ne se montrait jamais opposant ni désobéissant.
Sa prise de poids a conduit quelques enfants à se moquer de lui à l'école, et il évite à présent les jeux en commun, craignant de s'exposer à nouveau à des moqueries. Les professeurs ne semblent pas s'être aperçus jusqu'ici de sa difficulté, car il n'en parle pas et se montre toujours aussi sage et appliqué en classe.
En revanche, depuis trois semaines, sa mère se livre à une lutte exténuante tous les matins d'école pour le tirer de son lit, il entoure l'oreiller de ses bras, y enfonce le visage et fait comme s'il ne l'entendait pas. Le soir et le week-end il est également de plus en plus difficile à faire bouger, il reste allongé dans sa chambre et somnole pendant des heures.

Ici le trouble du sommeil s'associe à un trouble de l'alimentation. Pour surmonter l'angoisse liée à sa situation à l'école et à la maison, il se replie dans des plaisirs solitaires, comme celui de manger des aliments sucrés ou de rester bien enfoui dans sa couette.
Mathieu a manifestement vécu une situation très agréable avec sa mère, celle-ci le valorisait, s'occupait beaucoup de lui, et en retour il se montrait très obéissant. Mais les moqueries de ses frères et sœurs, inquiets de voir cette relation privilégiée qu'eux n'avaient pas connue, l'ont fragilisé dans son identité et sa capacité à être aimé. Le temps passant, il a progressivement développé une dépendance aux aliments sucrés, qui lui rappelle peut-être la douceur des premières années d'enfance, et en tout cas le consolent après des brimades.

Or ce comportement a entraîné les premiers conflits avec ses parents, et surtout avec sa mère, pour qui il n'est plus soudain si sage. Mathieu ne sait plus quelle attitude adopter. Les moqueries de ses camarades à l'école, liées notamment à sa prise de poids, mais peut-être aussi à son statut d'enfant appliqué, réactivent le souvenir des moqueries de ses frères et sœurs. L'école devient un lieu difficile à investir, de même que la maison familiale. Il ne se sent plus vraiment désiré nulle part.
Dans un cas comme celui-ci, il semble bien que l'hypersomnie de Mathieu soit le symptôme d'une dépression, qui s'est installée progressivement, à mesure que son mal-être grandissait. Les aliments sucrés viennent compenser la perte affective, et des comportements de repli et d'évitement sont développés en plus du trouble du sommeil.

Une telle situation ne peut s'améliorer d'elle-même. Mathieu risque de s'enfermer chaque jour davantage, et un échec scolaire pourrait même s'en suivre chez un enfant pourtant toujours bien investi dans les apprentissages.
Plusieurs possibilités d'accompagnement existent : une thérapie familiale pourrait s'avérer très utile, notamment pour prendre également en compte le vécu des aînés. Une orientation en psychothérapie pour Mathieu seul semble nécessaire, la souffrance de celui-ci étant trop difficilement exprimable devant sa famille.

L'énurésie nocturne

L'énurésie est un trouble dont les origines physiques et psychologiques doivent être explorées. On dit d'un enfant qu'il est énurétique lorsqu'il urine dans son lit la nuit, ou dans ses vêtements le jour, alors qu'il a dépassé l'âge de la propreté.
Pour pouvoir parler d'énurésie, il faut que l'enfant ait d'abord été propre, au moins six mois complets dans sa vie, puis que

des « accidents » répétés se soient produits, qu'il faudra chercher à expliquer. Il s'agit donc d'enfants généralement âgés d'au moins 4 ans, qui font « pipi au lit », et on parle alors d'énurésie nocturne.

Celle-ci est abordée au sein des troubles du sommeil car elle est associée à la situation du relâchement de contrôle qu'implique l'endormissement et a également des rapports avec la profondeur du sommeil.

Il existe ainsi des énurésies essentiellement physiologiques : l'enfant a un sommeil très profond, la sensation liée au besoin d'uriner ne le réveille pas. Il urine ainsi dans son lit sans s'en rendre compte. Dans ce cas, le sommeil de l'enfant est aisément repérable par sa profondeur. On peut soulever, déplacer l'enfant pendant son sommeil sans le réveiller, et même un grand bruit ne le fait pas sursauter.
Ce type d'énurésie peut être traitée, en fonction de la situation et avec les conseils d'un médecin, à l'aide d'un médicament et en mettant éventuellement en place certaines stratégies. On demandera ainsi parfois aux parents de réveiller leur enfant en cours de nuit pour l'amener aux toilettes afin qu'il soulage ce besoin qu'il ne ressent pas. Ces aménagements contraignants doivent cependant pouvoir être dépassés pour que l'enfant accède à sa propre autonomie.

Il existe ensuite de nombreuses formes d'énurésies nocturnes pour lesquelles les causes physiologiques et psychologiques peuvent apparaître très liées, et qui peuvent s'associer avec des énurésies diurnes.
Par exemple un enfant propre depuis six mois ou un an a un jour un « accident ». Il urine dans son lit, ce qui généralement entraîne des pleurs et est vécu très désagréablement. Suivant la

situation qu'il vit à la maison, cet événement va prendre un sens particulier, et aura alors plus ou moins de chances de se répéter. Si on imagine que c'est un aîné âgé de 4 ans, et qu'il vient de voir arriver un petit frère, son inquiétude face à la place qu'il occupe maintenant auprès de ses parents peut le conduire à adopter une attitude régressive et à uriner la nuit alors qu'il ne le faisait plus.

Beaucoup d'enfants présentent ainsi des comportements de régression à la naissance d'un puîné, et en général ces troubles se résolvent d'eux-mêmes lorsque l'enfant est rassuré. L'arrivée d'un bébé mobilise beaucoup la mère, elle porte et câline un autre que lui, et son angoisse est souvent celle de n'être plus aimé, ou pas autant que ce petit dernier. L'énurésie nocturne est alors non seulement un comportement régressif, l'assimilant au « bébé » qu'il n'est plus, mais c'est aussi une façon efficace d'attirer l'attention de maman.

Il faudra donc faire attention de ne pas tomber dans le piège des bénéfices apportés par ce trouble, l'enfant étant finalement satisfait de cette situation qui rapproche sa mère de lui, tout particulièrement la nuit, quand il est si difficile d'en être séparé. Il ne faut pas non plus se fâcher outre mesure, puisque la plupart de ces motivations sont inconscientes. Rassurer l'enfant est la meilleure solution. Prendre des temps juste avec lui, dans la journée, ou avant le coucher, pour lui faire sentir qu'il n'est pas délaissé.

Dans certains cas, on trouve des énurésies dont l'origine est surtout liée à des facteurs psychologiques, et qui répondent directement à une situation familiale complexe. Les situations sont nombreuses et variables, mais on peut citer comme exemple celui d'un enfant qui manifeste une énurésie lorsqu'il n'est plus chez lui. Eloigné de son appartement, et surtout de la présence rassurante de ses parents, il développe ce trouble qu'il n'avait pas chez lui, par exemple lors d'un voyage de classe avec l'école. C'est un trouble qui angoisse beaucoup l'enfant, qui redoute alors de s'endormir et craint le regard des autres le matin.

Dans les deux derniers cas d'énurésies nocturnes, où des facteurs psychologiques sont engagés, la consultation d'un thérapeute peut s'avérer utile pour désamorcer une situation qui risquerait de s'installer.

Clotilde

Clotilde a 11 ans. Elle a un grand frère de 15 ans et une petite sœur de 7 ans. Elle a acquis sans difficultés particulières la propreté vers 30 mois, et n'a présenté que très peu « d'accidents » durant les années qui ont suivi.
Il y a quelques mois, alors qu'elle entrait pour la première fois au collège, sa petite sœur a été très malade, et a dû passer plusieurs semaines à l'hôpital. Les parents de Clotilde se sont relayés auprès de leur petite dernière pour ne pas la laisser trop seule dans cette épreuve, et sont toujours très impliqués dans sa convalescence maintenant qu'elle est rentrée à la maison.
Le grand frère de Clotilde est assez autonome, il s'est occupé des repas et des lessives et a surveillé Clotilde pendant les longues absences de leurs parents. Clotilde aime bien son frère, elle le trouve gentil, il ne se moque jamais d'elle et il l'aide quand elle a du mal à faire ses devoirs. Mais c'est un garçon, il est grand et il l'impressionne. Il l'a toujours impressionnée, depuis qu'elle toute petite, et elle n'ose pas se confier à lui.
Depuis plusieurs semaines, Clotilde fait régulièrement pipi au lit. Cela la rend très triste, elle a honte et à présent elle est inquiète à chaque fois qu'elle va se coucher, de peur que cela lui arrive encore. Clotilde cache autant qu'elle le peut ces « accidents ». Elle retire son pyjama et va le rincer dans

la salle de bains, avant de le mettre directement dans le tambour de la machine à laver. Elle refait parfois son lit par-dessus les draps humides en espérant que personne ne s'en aperçoive. Son frère et sa mère s'en sont pourtant rendus compte et quand ils l'ont questionnée, Clotilde a fondu en larmes et demandé qu'on la laisse tranquille.
Les parents ne savent pas comment aborder cette situation, d'autant qu'ils sont déjà très accaparés par la convalescence de leur plus jeune enfant.

La honte de Clotilde va constituer l'un des principaux obstacles à la résolution de ce trouble. Cette honte est malheureusement très fréquente dans les cas d'énurésie nocturne, surtout chez un enfant aussi âgé, qui cherche souvent à la cacher.
Clotilde aborde un des moments clés de sa scolarité, l'entrée au collège. Partie de l'école primaire où elle était parmi les grands, elle se retrouve dans un nouveau cycle où elle est avec les petits. La découverte d'un nouveau lieu, de nouvelles méthodes d'apprentissage, et notamment le fait de n'avoir plus sa maîtresse mais plusieurs professeurs différents, sont des facteurs fragilisants.
Au moment où elle aurait justement eu besoin d'évoquer ses inquiétudes, d'être un peu accompagnée et écoutée, la maladie de sa sœur a beaucoup réduit l'attention que ses parents pouvaient lui accorder. Elle a probablement été très jalouse de sa petite sœur qui lui « volait » ceux-ci, tout en étant consciente que ce n'était pas de sa faute puisqu'elle était malade, ce qui a dû raviver sa culpabilité.
L'admiration pour son frère, qui semblait lui ne pas souffrir trop de cette situation, lui a renvoyé encore davantage cet embarras. Elle voudrait de l'aide, elle voudrait confier ses angoisses, liées à l'école mais aussi certainement aux répercussions de la situation familiale, mais en même temps elle a honte d'en parler, et de se plaindre alors qu'elle voit bien qu'il se passe des choses bien plus graves.

L'énurésie nocturne apparaît alors comme un symptôme de cette défaillance, de cet écartèlement entre besoins et interdictions. Puisque sa souffrance ne peut se dire, elle s'exprime par un autre biais qui lui échappe complètement.
Ce n'est pas tant pour attirer l'attention que pour trahir son malaise que Clotilde fait pipi au lit. Si elle le pouvait, elle ferait cesser sur-le-champ ce comportement, tant il accroît sa honte, mais celui-ci obéit à des mécanismes inconscients. Dans la très grande majorité des cas, un enfant qui fait pipi au lit ne le fait pas exprès.

L'important pour faire disparaître ce trouble sera donc tout d'abord d'aider Clotilde à se défaire de sa honte, ce qui est délicat puisque plus on lui parle du problème, plus elle en a honte. Des moments de tranquillité, seule avec sa mère par exemple, peuvent être l'occasion d'en parler sereinement, ainsi que d'évoquer tous les changements qui sont intervenus dans sa vie ces derniers mois.
Une consultation psychologique, d'abord avec l'un des deux parents, puis seule, pourra l'amener à se revaloriser, à reprendre confiance en elle, et surtout à évoquer ce qui l'effraie, comme très probablement la maladie de sa petite sœur.

Lorsqu'une difficulté plus ou moins importante apparaît, la consultation d'un professionnel permet souvent de voir plus clair dans une situation qui inquiète. Il s'agit souvent d'obtenir des informations, des réassurances, et de réfléchir éventuellement aux conditions de la vie familiale qui peuvent entraîner l'apparition d'un trouble, qu'il s'agisse du sommeil ou de la colère.

PARTIE IV

QUI CONSULTER ?

1. Le pédiatre

C'est souvent la toute première référence des parents, après leur entourage immédiat. Le pédiatre pourra détecter d'éventuels désordres somatiques à l'origine des troubles et proposer des orientations vers d'autres spécialistes quand cela semble nécessaire.

2. Le « psy »

Le « psy » est une psychologue, un psychiatre, un pédopsychiatre ou un psychothérapeute, qui va rechercher avec vous les origines psychiques d'un trouble. Il permettra de s'interroger sur la vie quotidienne et ses implications, et pourra recevoir l'enfant seul, avec ses parents, ou même avec sa famille. Les différents « psys » n'ont pas la même approche, ni la même formation, et la famille doit pouvoir choisir celui qui convient à ses attentes. Une description des différentes orientations psychologiques, psychiatriques et psychanalytiques est proposée au début de cet ouvrage. Ces professionnels peuvent exercer en libéral dans un cabinet ou au sein d'institutions spécialisées.

Qu'est-ce qu'un psychologue ?

A quoi sert un psychologue ? Quelle est sa place dans une institution ? Auprès d'un patient ? Quel est son rôle par rapport à celui d'un médecin ou d'un travailleur social ?

Bien des personnes ont des difficultés à définir les caractéristiques de cette profession, les limites de leurs actions, et se trouvent également confrontées à la mobilisation de nombreux préjugés concernant leur activité.
D'une façon générale et pour schématiser, ces *a priori* sont de deux ordres. D'un côté le psychologue peut être perçu comme un être inquiétant et tout puissant, inquisiteur, qui risque de « lire dans la tête » des gens et de les manipuler. S'il fascine souvent, mieux vaut ne pas trop le fréquenter. De toute façon, « *les psys c'est pour les fous* », donc cela ne peut pas nous concerner ! Ce premier registre d'*a priori*, correspondant à une certaine représentation populaire de la psychologie, ferme bien des portes et rend certaines relations très difficiles à aménager.

Le deuxième ordre d'*a priori* concerne la stricte utilité du psychologue. « *Un psychologue, ça ne sert à rien !* » Il ne prescrit pas de médicaments, n'administre aucun soin « concret » ou objectivable, et la démonstration de la rentabilité de son action est souvent complexe voire presque impossible.
Ce type de préjugés est d'autant plus difficile à combattre qu'il est encore très agissant au sein des milieux professionnels et même politiques. Créer des postes de psychologues ? Mais pourquoi faire ?

C'est un métier tourné vers l'humain, vers son développement, ses souffrances et ses possibilités d'épanouissement.
Chaque psychologue est spécifique, aucun ne ressemble à un autre, et c'est en tant qu'individu, au sein d'une démarche toute personnelle, qu'il développe une action adaptée à la structure et aux individus envers lesquels ses compétences s'exercent. Fournir une définition précise et générale de son action est donc souvent une tâche assez complexe.
Le psychologue va être au contact avec l'humain, « l'âme humaine », et le fonctionnement psychique humain, tant sur un plan individuel que familial ou groupal. Il a une fonction d'évaluation et d'interprétation bien sûr, à travers la maîtrise de différents outils, mais il est aussi et surtout chargé d'assurer la protection des personnes, il est le garant du respect de leur intégrité psychique.
Sa position de toute-puissance, de « sujet supposé savoir », ne lui autorise donc pas toutes les initiatives et un code de déontologie régit les limites et les impératifs de ses interventions.

Le psychologue est du côté de la respiration, il est celui qui permet que circulent la parole et la pensée, en instaurant un décalage, un tiers, entre différents éléments. Il offre, tant à l'individu qu'au groupe social plus ou moins intégré, la possibilité

d'un retour sur soi, d'une réflexion au sens de s'apercevoir, de prendre conscience des données agissantes à des degrés internes comme externes, et de leurs interactions.
Il est celui qui, de par sa position extérieure et au moyen des outils de sa formation, vient faire émerger et démêler les rouages d'un fonctionnement humain.

Le fait de consulter un psychologue ne devrait jamais être perçu comme une honte ou comme une déchéance. Il ne s'agit pas de créer des besoins ou des dépendances, comme cela a parfois été reproché aux thérapeutes de diverses obédiences, mais plutôt de reconnaître et de faire reconnaître les besoins des personnes en souffrance.

Tous les « psys » exercent-ils le même métier ?

Le métier de psychologue n'est pas le seul débouché dans le champ de la psychologie, et certaines professions parfois assimilées à la sienne méritent d'en être distinguées.

Le psychanalyste

Il utilise une des approches de la psychothérapie, la psychanalyse, inventée par Sigmund Freud. Spécialiste de l'inconscient, il n'est pas nécessairement médecin, mais doit être préalablement passé par l'expérience de la cure analytique pour devenir à son tour psychanalyste.
Il est généralement affilié à un institut de psychanalyse, dispensant une formation personnelle et théorique en lien avec les conceptions freudiennes, mais également celles de Lacan, de Jung, ou d'autres psychanalystes ayant fait école. Il exerce le plus souvent son métier en cabinet privé.

Ni le titre ni l'exercice de la psychanalyse ne sont réglementés en France, ce qui en fait une profession peu protégée et parfois mal reconnue. Toute personne ayant elle-même suivi une analyse est *a priori* habilitée à ouvrir un cabinet de psychanalyste à son tour.

Il existe des prises en charge psychanalytiques d'enfants, avec des consultations associant la famille. L'institut de puériculture de Paris, par exemple, possède un centre de guidance infantile qui dispense gratuitement ce type de prise en charge.

■ Le psychothérapeute

Il est le plus souvent psychologue ou médecin, ayant été formé à diverses méthodes thérapeutiques, et soigne les problèmes psychiques de ses patients.
Comme le psychanalyste, il exerce en cabinet, à titre privé, mais sa profession est davantage réglementée. Des textes de lois encore en élaboration stipulent les conditions pour prétendre à un tel statut, en terme de formation et d'affiliation à un organisme reconnu. Beaucoup d'approches de la psychologie coexistent, et on recommande aux parents souhaitant consulter de s'informer sur les orientations de ces thérapeutes afin de savoir si elles leur conviennent.

Différentes approches et techniques psychothérapiques

Les psychothérapies sont d'autant plus diverses qu'elles sont sous-tendues par des conceptions théoriques différentes, voire parfois opposées. Suivant la façon dont est appréhendé un symptôme, le traitement proposé sera adapté afin de permettre les conditions de sa résolution.

Ces présupposés théoriques sont donc souvent indissociables des techniques qui leur sont propres. Dans un premier temps nous exposerons d'abord les principales approches psychothérapeutiques, puis certaines techniques, dont la mise en œuvre peut varier légèrement en fonction de l'obédience du praticien qui l'exerce.

L'orientation psychodynamique-analytique

Elle est fortement influencée par la psychanalyse. Cette orientation rassemble plusieurs approches faisant toutes appel à la notion d'inconscient, et cherchant à établir un lien entre les difficultés actuelles et les expériences ou les conflits refoulés et non résolus de l'histoire personnelle.
Au fil des séances durant lesquelles il livre un matériel qui sera interprété par le thérapeute, le patient est ainsi progressivement amené à prendre conscience de l'influence des conflits inconscients et à s'en dégager.

Beaucoup de psychothérapies impliquant la résolution de troubles chez l'enfant font appel à cette approche, en s'interrogeant par exemple sur l'enfance des parents, sur leur façon de vivre leur parentalité, et sur les répercussions des difficultés passées sur des situations actuelles.

L'orientation systémique interactionnelle

Il s'agit d'une approche qui considère que les problèmes personnels surgissent à la faveur d'interactions entre une personne et son entourage (famille, amis, collègues...).
A partir de l'analyse de la situation problématique, l'objectif de la thérapie vise à modifier les relations entre la personne et son entourage. Il est dès lors fréquent dans ce type de prise en

charge que le psychologue rencontre des membres importants de l'entourage de celui ou de celle qui le consulte.
La thérapie familiale constitue un exemple de cette orientation. Les thérapies familiales ou thérapies systémiques permettent ainsi à l'ensemble de la famille (ou seulement les membres vivant sous le même toit) de s'interroger sur sa façon de communiquer et d'interagir. Quelle est la place de chacun et quel sens prend le trouble de l'enfant pour la famille ? Aborder ces questions devant les autres, en présence d'un ou deux thérapeutes, soulage certaines tensions et permet de mieux saisir le fonctionnement familial.

L'orientation comportementale-cognitive

Les spécialistes de ce groupe d'approches considèrent que les difficultés psychologiques sont liées à des pensées ou des comportements inadéquats, appris par un individu dans son environnement quotidien.
Ces pensées ou comportements inadéquats sont liés à des cognitions également mal adaptées, c'est-à-dire à des perceptions ou à des apprentissages erronés et constituant une entrave au bon fonctionnement.

Il s'agit donc pour les thérapeutes de cette approche d'analyser ces cognitions, au travers des pensées ou comportements qui les traduisent, ainsi que le milieu de vie de la personne, afin de proposer l'apprentissage de nouveaux comportements, et de remplacer les pensées ou émotions non désirées par d'autres mieux adaptées.
La thérapie comportementale et la thérapie cognitive constituent les applications les plus connues de cette orientation.

Les approches dites « corporelles »

Certaines approches font appel à l'énergie corporelle et au mouvement comme agents thérapeutiques. On peut citer parmi celles-ci la bioénergie et l'abandon corporel.

L'hypnose

L'hypnose est davantage une technique qu'une approche théorique de la souffrance psychique, néanmoins les fondements théoriques de celle-ci se rencontrent plutôt du côté de la psychanalyse et de la psychodynamique.
Les approches se fondant sur l'hypnose visent à la résolution de difficultés actuelles par l'obtention d'un sommeil hypnotique, d'une conscience hypnotique, au cours de la séance, permettant au sujet d'accéder à la remémoration de certains événements passés.
Obtenu à travers la suggestion du thérapeute, cet état hypnotique bien particulier permet un aménagement des résistances du sujet, et crée une dépendance et une relation asymétrique permettant certaines injonctions thérapeutiques.

L'hypnose peut ainsi se trouver aussi bien employée dans la résolution de difficultés émotionnelles anciennes, que comme accompagnement de certaines modifications de comportements, comme le cas des sevrages tabagiques, par exemple.

Le psychodrame

Le psychodrame est une technique souvent employée en institution, et pratiquée le plus souvent avec plusieurs thérapeutes servant de support à l'action. Elle est généralement sous-tendue par des conceptions psychanalytiques.

Il s'agit de faire prendre conscience à un patient de certaines émotions et résistances inconscientes en jouant des scènes de la vie quotidienne au cours desquelles il sera lui-même amené à endosser divers rôles.

Le psychodrame est particulièrement utilisé dans le soin des adolescents, notamment dans les cas d'anorexie sévères et de schizophrénie.

Le psychiatre

Le psychiatre est obligatoirement un médecin et l'exercice de la psychiatrie n'est donc pas accessible aux détenteurs de la seule formation de psychologie. Pour devenir psychiatre, il faut se diriger vers un cursus de médecine, puis se spécialiser dans le domaine de la psychiatrie, c'est-à-dire dans le diagnostic et le traitement des troubles mentaux graves.
Le psychiatre exerce en institution et en cabinet privé, prescrit des médicaments (il est le seul à le pouvoir parmi les professions précédemment citées), et ses actes sont remboursés par la Sécurité sociale. Son activité est reconnue, et il est en outre membre de l'Ordre des médecins.

3. Les centres de Protection maternelle et infantile

Ces centres, qu'on appelle communément des PMI, existent dans toutes les municipalités et offrent divers services aux jeunes parents. On y trouve une consultation pédiatrique, l'assistance d'une puéricultrice, et parfois la possibilité d'y rencontrer aussi un psychologue. C'est un lieu d'accueil où des jeux sont mis à disposition des enfants, et où les mères peuvent recevoir des conseils tout en rencontrant d'autres mamans. Les consultations se font le plus souvent sur rendez-vous et sont prises en charge par la Sécurité sociale.

Les centres de consultation mère/enfant : Divers centres existent qui accueillent les mères et leurs enfants afin de proposer des consultations psychologiques ponctuelles ou régulières. Les pères sont également les bienvenus dans ces structures, qui s'attachent en général aux difficultés des jeunes enfants de moins de 3 ans.

4. Les centres médicaux psychopédagogiques

Appelés CMPP, ces centres permettent de recevoir les enfants plus grands, en consultation individuelle ou avec leurs parents. Ils sont présents sur chaque commune et leurs services sont pris en charge par la Sécurité sociale. Des psychologues et des psychopédagogues sont présents pour aider à résoudre les difficultés et à éviter de mettre en danger la scolarisation de l'enfant.

5. Les centres spécialisés

De nombreux centres spécialisés existent pour prendre en charge les troubles de l'enfant, à Paris et dans toute la France. Les deux centres cités ci-après sont parisiens mais constituent des références vers lesquelles on peut se tourner pour un conseil ou une orientation, même par téléphone.

Le centre de sommeil de l'Hôtel-Dieu
Spécialisé dans le traitement des troubles du sommeil
1, place du Parvis-de-Notre-Dame.
75181 Paris Cedex 04
Tél. : 01 42 34 82 43

L'institut de puériculture de Paris
Au sein duquel se trouve un centre de guidance infantile, spécialisé dans la prise en charge des troubles du jeune enfant.
Institut de puériculture de Paris
26, boulevard Brune
75014 Paris
Tél. : 01 40 44 39 39

34/38, rue Camille-Pelletan 92309 Levallois-Perret cedex
Imprimerie Corlet - 14110 Condé-sur-Noireau
Imprimé en France - 2e trimestre 2007 - N° 99579

Service éditorial : Manuella Guillot, Cécilia Pinaud, Fabienne Texier
Conception graphique : Jean-Philippe Delenda
Couverture : Guy Wilga Lerat

Dépôt légal à parution
ISBN 978-2-8447-2984-2